OHSAMA BUNKO

名画たちのホンネ

とに～

三笠書房

はじめに……前説のようなもの

はじめまして。アートテラーのとに～です。

アートテラーという言葉を初めて聞いた方もいらっしゃることでしょう。美術に対して、「難しそう」「つまらなさそう」「取っつきにくそう」といったイメージを抱いている人は少なくありません。そういう人たちに、「美術はともだち こわくないよ」と**美術の楽しさを、面白おかしく語って伝える**仕事。アートのストーリーテラー、それがアートテラーです。

世の中にはたくさんの名画がありますが、この本ではその中でも特に有名な**「とりあえず、これだけ押さえておけば間違いない」な作品を厳選して紹介**しています。それらの名画には何が描かれているのか？　一体何がスゴいのか？　描いた芸術家はどんな人物だったのか？　名画の見どころや秘密を、面白おかしく語って伝え……ようと思ったのですが。とに～っていうよくわからない男に解説されても、頭に入ってきませんよね？？

そこで、この本では僕ではなく、**名画自身に語ってもらう**ことにしました。

ある名画は、描かれた人物が自己紹介をしてくれるようです。またある名画は、擬人化されたキャラクターが思いのたけを語ってくれるようです。自慢話をする名画もあれば、悩みを叫ぶ名画、漫才を披露《ひろう》してくれる名画もありますよ。

それらの話に耳を傾けるだけで、美術の基本についてマスターできるはずです。わかりやすい美術の解説本は数多くあれど、これほどまでに読みやすい美術の解説本は他にないのではないでしょうか。

ただし、読みやすすぎて、右の耳から左の耳にすぐに抜けてしまうかも。彼ら彼女らはわりと大事なことも話しているので、そういった重要なキーワードは太字にしておきました。

あ、そうそう！　さすがに、アートテラーのくせに、何も語らないというのは気が引けるので、各名画に対してコラムを書きました。まぁ、それは読んでも読まなくても、どっちでもいいです。

ではでは、準備はできたでしょうか？　名画の皆さま、出番です。

とに～（アートテラー）

もくじ

はじめに……前説のようなもの　3

1 西洋絵画たちのホンネ

ボッティチェリ《ヴィーナスの誕生》　18
私をキプロス島に連れてって
ダ・ヴィンチ《モナ・リザ》　22
上からモナ・リザ
エル・グレコ《受胎告知》　26
マリア、話すべきエピソードがあって
ブリューゲル《バベルの塔》　30
バベルの塔は一日にしてならず

カラヴァッジョ《聖マタイの召命》 34
今日からマタイは!!
ベラスケス《ラス・メニーナス》 38
王さまど〜こだ?
レンブラント《夜警》 42
隊長はつらいよ
フェルメール《牛乳を注ぐ女》 46
キッチンメイドのおしゃべりクッキング
フラゴナール《ぶらんこ》 50
夫も愛人も皆仲よくすればいいのに?
ゴヤ《裸のマハ》 54
美術史上もっともスキャンダラスな女
アングル《グランド・オダリスク》 58
そうだ　オリエント風に、描こう。

ドラクロワ《民衆を導く自由の女神》 62
黙って私についてこい
クールベ《オルナンの埋葬》 66
しくじり画家 彼みたいになるな!!
ミレー《種まく人》 70
バルビゾン村のココが素晴らしい!!
マネ《フォリー＝ベルジェールのバー》 74
シャンパンが、お好きでしょ
モネ《印象、日の出》 78
印象派誕生の地から生中継
ルノワール《ムーラン・ド・ラ・ギャレットの舞踏場》 82
舞踏場だヨ！ 全員集合
スーラ《グランド・ジャット島の日曜日の午後》 86
おちこんでるようにみえるけれど、わたしはげんきです。

ゴッホ《ひまわり》 90
会いに行ける美術界のアイドル
セザンヌ《りんごとオレンジ》 94
りんごすごいや すごいやりんご
ゴーガン《我々はどこから来たのか 我々は何者か 我々はどこへ行くのか》 98
タヒチより愛をこめて
ムンク《叫び》 102
橋の中心で、主張を叫ぶ
ミュシャ《ジスモンダ》 106
〝大〟女優への独占インタビュー！
ピカソ《アビニヨンの娘たち》 110
ぜんぶキュビスムのせいだ。

マティス《ダンスII》 114
まわるまわるよ 彼らはまわる
ルソー《夢》 118
アンリ・ルソーは元恋人の夢を見るか？
ダリ《記憶の固執》 122
連続時計融解事件
モンドリアン《黄、赤、青と黒のコンポジション》 126
美術界のためのhero
ウォーホル《マリリン》 130
マリリンがいっぱい
バンクシー《風船と少女》 134
バンクシーさんとの思い出

とに～のモーソウ劇場
迷探偵とに～の事件簿　誰が殴ったアルチンボルド　138

2 日本絵画たちのホンネ

鳥羽僧正覚猷？《鳥獣人物戯画》　142
Qウサギとカエル、勝ったのはどっち？
雪舟《秋冬山水図　冬》　146
色彩を持たない山水図と、彼の留学の話
狩野永徳《唐獅子図屏風》　150
唐獅子のガイドは僕にお任せ

俵屋宗達《風神雷神図屏風》 154
好感度No.1(?)の神々
伊藤若冲《動植綵絵》 158
若冲のこと、チキンと話せるかな?
葛飾北斎《冨嶽三十六景・神奈川沖浪裏》 162
波よ引いてくれ
高橋由一《鮭》 166
「鮭」を巡るすれ違い
黒田清輝《湖畔》 170
私が遠い目になった理由
横山大観《心神》 174
毎度、バカバカしい美術の話を一つ
上村松園《序の舞》 178
手紙~拝啓　美術好きの君へ~

岸田劉生《麗子微笑》
ひとりでモデルできるもん！ 182

とに〜のモーソウ劇場
《松林図屏風》に隠された都市伝説!? 186

3 彫刻・工芸たちのホンネ

《ミロのヴィーナス》
ヴィーナスはご機嫌ななめ 190

ミケランジェロ《ダビデ》
その男、全裸につき 194

《曜変天目》 198
静嘉堂のカリスマ国宝
三条宗近《三日月宗近》 202
「じじい」と呼ばないで
ロダン《考える人》 206
考えすぎちゃう人
ラリック《シルフィード（風の精）あるいは羽のあるシレーヌ》 210
あの人は変わって変わってしまった
デュシャン《泉》 214
20世紀最大のアート作品の自虐
岡本太郎《太陽の塔》 218
太陽の塔からのメッセージ
おわりに……締めの挨拶のようなもの 222

1

西洋絵画たちのホンネ

ねぇねぇ、ちょっと聞いてよ！
この前、いきなり天使が現われてさ。
「あなたは神の子を宿しました」って。
意味わかんなくない？

エル・グレコ《受胎告知》

サンドロ・ボッティチェリ（1445-1510）イタリア
《ヴィーナスの誕生》

私をキプロス島に連れてって

皆さま、はじめまして。**愛と美の女神ウェヌス（ヴィーナス）**です。私、控えめに言っても美しいので、多くの芸術作品のモデルになっています。で、その中でも一番有名なのは、やはりこの絵でしょうね。タイトルに「誕生」とありますけれど、正確には海で誕生したシーンではなく、地中海に浮かぶキプロス島に上陸する瞬間が描かれているのです。

え？　沖からどのようにたどり着いたかですか？　それは、**西風の神ゼフィロス**さんとその妻の**クロリス**さんが、ずっと息を吹き続けてくれまして。私は常に美しくあらねばならないので、頑張《がんば》って涼しい表情をしていましたけれども、ホタテ貝の上でサーファーのようにバランスを取り続けるのは意外と大変なんです

1485年、ウフィツィ美術館、イタリア・フィレンツェ

よ。右にいるバスタオルを手に待ち構えている方ですか？　いえいえ、私のお母さんではないですよ。彼女は、**時の女神ホーラ**です。手にしているのは春の花が刺繍《ししゅう》された豪華なローブ。私の誕生を祝福してくれているのです。

この絵を描いたのは、フィレンツェ生まれの**ボッティチェリ**さん。ちょっと言いにくい名前ですよね。**〝線の画家〟**と称されるボッティチェリさんの繊細《せんさい》で優美な線が、私の美しさを強調してくれています。特に髪の毛や指先の美しさは絶品ですよね。自分でもうっとり見惚《みと》れてしまいます。

よくこの絵を観た方から、彫刻のように美しいと褒《ほ》められるのですが、実はその通りで、ボッティチェリさんは古代ギリシャあるいは古代ローマの彫刻風に描いてくれたのです。というのも、この当時イタリアを中心としたヨーロッパの各地では、約1000年前の古代ギリシャや古代ローマの文化が大ブームだったのですよ。特に芸術家や文学者の間では、古典文化をリバイバルしようというのがトレンドでした。今でこそ神話を描いた絵、いわゆる神話画って珍しくないですけれども。この絵が描かれるまで、中世においては、絵といえば聖書の一場面を描いた宗教画がほとんどでした。だから、この時代になって、私も久しぶりにモデルに復帰したんですよ。

ちなみに、この古典文化復興のムーブメントのことを、**ルネサンス**って呼びます。確か、フランス語で**「復興」**とか**「再生」**って意味だったはずです。そういえば、少し前に日本で「ルネッサ〜ンス！」ってギャグが流行したそうですね。あのギャグはすぐにブームが去ってしまいましたが、こっちのルネサンスは14世紀から16世紀まで、約2世紀も続いたそうですよ。

Column

ルネサンスの芸術家名の多くは、本名ではなくあだ名です。ボッティチェリもあだ名で、本名はアレッサンドロ・ディ・マリアーノ・フィリペーピ。〝ボッティチェリ〟の意味は、「小さな樽《たる》」です。なんでも彼の兄が、樽のような体型のかなりのぽっちゃりさんだったそうで、その弟ゆえ、〝ボッティチェリ〟の名を頂戴《ちょうだい》したという説があります。まったく優雅ではありませんよね。さて、ボッティチェリの他にも、悲しいあだ名が付けられたルネサンスの画家がいます。例えば、**ブロンズィーノ**。イタリア語で「青銅」を意味する〝ブロンゾ〟に由来するあだ名です。彼の髪の毛が青銅色だったから、という説もあるそうですが。いつも青銅のような青白い顔をしていたから、という説もあるのだとか。顔色が悪いにもほどがあります。また、夭折《ようせつ》したルネサンスの天才画家**マザッチオ**。その名前には「間抜け」とか「汚い」という意味が含まれているそうです。絵のことにしか興味がない彼は、世俗のことを知らなければ、服にも無頓着《むとんちゃく》だったのだとか。**エル・グレコ**（26ページ）は「ギリシャ人」という意味のあだ名。僕でいえば、とに～でなく「日本人」と呼ばれているようなものです。

レオナルド・ダ・ヴィンチ（1452-1519）イタリア
《モナ・リザ》

上からモナ・リザ

ねぇ、今さら自己紹介する必要ってあるのかしら？　自慢じゃないけど、私、「世界でもっとも知られ、もっとも見られ、もっとも書かれ、もっとも歌われ、もっともパロディ作品が作られた美術作品」って言われてるのよ。まぁ、せっかくだから、少しだけ付き合ってあげるわ。私の態度が上から目線ですって？　仕方ないでしょ。ルーヴル美術館で毎年６００万人もの観客を見下ろしているのよ。

なぜ微笑《ほほえ》みを浮かべているのか？　背景はどこなのか？　私にまつわる謎《なぞ》はたくさんあるわね。中でも一番の謎とされているのが、私の正体。今のところ、フィレンツェのある商人の妻、リザ・デル・ジョコンドという説が有力なようね。**「モナ」**はイタリア語で**「婦人」**。つまり、直訳すると**「リザ婦人」**というわけ。

ちなみに、イタリアやフランスでは名字から**《ラ・ジョコンド》**という呼び名のほうが定着してるみたいね。じゃあ、正体は決まりじゃないかって？　それは秘密。ふふふ。

知ってると思うけど、作者は万能の天才こと、**レオナルド・ダ・ヴィンチ**よ。

1503－06年頃、ルーヴル美術館、フランス・パリ

彼って画家のイメージが強いかもしれないけれど、意外と絵画作品を残していないの。やっぱり**スフマート**で描くと手間も時間もかかるしね。

え？　スフマートを知らないの？　レオナルドが発明した技

法よ。スフマートは、イタリア語で「ぼかした」って意味。彼は科学者でもあったから、自然を観察していて**「自然界には輪郭線《りんかくせん》なんてない」**って気づいたのね。それで、輪郭線を描かずに、透明な色の層を薄く塗り重ねて、色と色の微妙なトーンを極限までぼかして立体感を再現したわけ。私の顔や手をよくご覧なさい。目もとや口もとに線が引かれてないでしょ？　ん？　眉毛もまつ毛もないって？そこまでマジマジ観なくていいわよ！　彼は生涯この絵を手元に残して、何年にもわたって描き直しを続けたの。だから、描かれていたはずの眉毛もまつ毛も塗りつぶされちゃったのよ。きっと。

私の手が異常に大きいって？　さっきから失礼ね。これは遠近を強調するためって説があるのよ。そうそう。遠近法っていえば、**空気遠近法**って技法が背景に使われているわね。は？　空気遠近法も知らないの？　近くの山は緑色なのに、遠くの山は青く見えるって経験したことないかしら？　レオナルドはその自然現象を意識的に取り入れて、あえて遠くの景色を青くぼんやりと描いたってわけ。

私のおかげで少しはお利口《りこう》さんになったんじゃない？　ふふふ。

Column

2005年。『クイズ$ミリオネア』（フジテレビ系列）で、こんな問題が出題されました。

Q　名画《モナ・リザ》の背景に描かれているものは、次のどれ？

A. 舟　　B. 橋　　C. 鳥　　D. 滝

これは、なんと賞金1000万円の問題！　テレビを観ながら、「《モナ・リザ》なんて何度も見てるわ！」と、余裕をかましていたのですが、改めて思い出してみようとすると、これが意外と難しい。

さて、皆さまは正解がおわかりになりましたでしょうか？　**正解は、Bの橋**でした。舟を選んだ僕は、もちろん不正解。舟が浮かんでいたような気がしたのですが……あくまで気がしただけでした。

と、まぁ、何を言いたいのかといえば、人は名画と言われている絵ほど、きちんと見ていないものだということ。何となく見ただけで、ちゃんと鑑賞したような気になってしまうのですね。ボーっと見ていると、モナ・リザさんに笑われてしまいますよ。

エル・グレコ《受胎告知》

（1541-1614）ギリシャ

マリア、話すべきエピソードがあって

ねぇねぇ、ちょっと聞いてよ！　この前、超ビックリしたことがあって。おうちでのんびりしてたら、いきなり**ガブリエル**って大天使が現われてさ。私にこう言うわけ。**「あなたは神の子を宿《やど》しました」**って。はぁ？　意味わかんなくない？あたし、まだ男の人と付き合ったこともないんですけど！「人違いじゃん？」って聞き返したんだけど、あたしで間違いないんだって。まぁ、でも、こんなレアな経験してるのって世界であたし1人くらいだろうし。逆に、スゴいんじゃない的な？　実際、このエピソードは鉄板みたいで。いろんな画家が、あたしが受胎を告知された場面を絵にしてるんだって。

糸を紡《つむ》いでる姿のもたまにあるけど、だいたいの画家は読書中のあたしを描いてるよね。そんで、**白いユリの花**はマストね。あたしの純潔を象徴してるんだって。あとは**白い鳩**《はと》が描かれてることも多いかな。白い鳩は聖霊を表わしてるの。ほらほら、この**エル・グレコ**っていう画家が描いた《受胎告知》の絵なんか、まさにその通りでしょ？

1590頃－1603年、大原美術館、岡山県

ただ、王道パターンで描かれてはいるけれど、絵のタッチはかなり独特よね。こういう様式を**マニエリスム**って呼ぶみたい。

ルネサンスの画家ってたくさんいるけど、やっぱり別格なのは、レオナルド・ダ・ヴィンチ（22ページ）とミケランジェロ（194ページ）、それからラファエロの3巨匠よね。この3人の古典的な様式を、ミケランジェロの弟子のヴァザーリって人が自分の本の中で**「美しい様式（ベッラ・マニエラ）」**って名付けて紹介したわけ。それを知った次世代の画家たちは、いちいち古典を学んだり自然を観察したりしなくても、その様式を真似《まね》すりゃいいじゃんってことになるでしょ。で、そんなことを続けてたら、よくも悪くも様式の誇張が進んでいっちゃったの。それが、マニエリスム。具体的にいうと、首とか腕とか身体を蛇《へび》のようにニョロ〜ンって引き伸ばしたり、体を無理やり捻《ひね》らせてみたり。他にも、遠近法を歪《ゆが》ませたり、わざと構図を不安定にしたり、不自然なほど明暗のコントラストを付けたり。めちゃくちゃよね。

そりゃ、こういう絵が初めて誕生した時は、斬新《ざんしん》だったようだけど、ブームは長続きしなかったみたい。だって、ずっとこんな感じだと飽《あ》きちゃうでしょ。いわゆるマンネリってやつ。あ、そうそう、マンネリって言葉はマニエリスムが語源なんだって。受胎告知の時に読んでた本に書いてあったわ。

Column

1922年。洋画家の**児島虎次郎**《こじまとらじろう》は、パリのとある画廊でエル・グレコの《受胎告知》が売られているのを発見します。これはぜひ日本に持ち帰りたい！　しかし、到底《とうてい》手が出せるような価格ではありません。マニエリスムばりに（？）身もだえした彼は、パトロンであった岡山の実業家・**大原孫三郎**《おおはらまごさぶろう》に、写真を添えて**「グレコ買いたし、ご検討のほどを」**と手紙を送りました。その手紙を読んだ大原は即決！**「グレコ買え、金送る」**という手紙とともに大金を送ったのです。

そんな大原孫三郎によって1930年に岡山・倉敷の地に開館したのが日本で最初の西洋美術館、そう、**大原美術館**です。その本館には、日本にあることが奇跡とさえいわれるエル・グレコの《受胎告知》を筆頭に、児島がモネから直接購入した《睡蓮》《すいれん》やセガンティーニの代表作《アルプスの真昼》などが常設されています。まだ未訪の方はぜひ一度は大原美術館を訪れていただきたい！

ちなみに大原美術館とあわせて訪れたいのが、美術館の隣にあるレトロな喫茶店です。大原孫三郎の事務所として、大正末期に建てられた建物を改築したその喫茶店の名は「エル・グレコ」。店内には《受胎告知》の模写が飾られています。

ピーテル・ブリューゲル《バベルの塔》

（1525〜30－1569）ベルギーまたはオランダ

バベルの塔は一日にしてならず

あんちゃんかい、おいらに話を聞きてぇってヤツは？　おいらが、この塔の建築現場の責任者よ。いろんな画家が、この塔の絵を描いてるけどよ。中でも一番有名なんが、北方ルネサンスの画家**ブリューゲル**って画家が描いたヤツだな。あのブリューゲルってのは、建築現場に何度も取材に行っては観察するほど建築好きだったらしいな。確か、この塔をモチーフにした絵を生涯で3点も描いてたんじゃなかったか？　この絵は、2点目に描かれたヤツのはずだぜ。建築の細部までビッシリと描き込まれてるよな。ルーペを使わないと見えないくらいだ。

この塔の建設を命じたのが、画面の左下に描かれてる**ニムロド**（ニムロデとも）っていう旧約聖書に登場する王さまだ。この王さまの先祖は、あの方舟《はこぶね》で有

1563年頃、ウィーン美術史美術館、オーストリア

名なノアなんだわ。誠実な人といわれるノアと違って、地上で最初の権力者となったニムロドは、自分の権力を見せびらかそうとしてよ。とにかくでっけぇ塔を作ろうと考えたってわけだ。
まぁ、命令するのは簡単だけど、実際に作るおいらたちは大変だぜ。塔のあちこちで、たくさんの作業員や石工たちが、蟻《あり》のようにせっせと働いているのがわかんだろ。
画家によって塔の姿はまちまちだ。ブリューゲルってヤツはネーデルラント（現在のオランダ、ベルギー、ルクセンブルクにかかる低地）出身だけど、ローマに滞在したこともあるらしいから、古代ローマのコロッセオをモデルにしたんだろうな。ともあれ、おいらたちは見たことも作ったこともない複雑な建物だからよ。混乱しちゃって、塔のあっちこっちが工事中の状態なんだわ。

まぁ、でも、あの秘密兵器を使えば何とかなるだろうな。塔の右側に黒い重機が見えるだろ？　これはこの絵が描かれた当時、アントワープ市が世界に誇った最新式のクレーンよ。こいつを使えば、一気に作業が進むぜ。ん？　コロッセオとか最新式のクレーンとか、時代背景が合わない？　そいつは、おいらじゃなくて、ブリューゲルって画家に言ってくれよ。まぁ、この絵では建設途中だけど、実際、おいらたちは塔を完成させたんだぜ。ところがな、**「そんな高い塔を勝手に建設するなんて、人間は傲慢《ごうまん》でけしからん！」**と神さまが怒って、塔を破壊しちまったのよ。しかも、おいらたちの言語もバラバラにして、意思疎通できないようにしたんだぜ。ひでぇ話だよな。ただでさえ、若ぇ衆と話が通じづらかったのに。てか、結局、おいらたち給料もらえんのかな？

Column

謎めいた作品を多く残した**ピーテル・ブリューゲル（父）**。その生涯や人物像も謎に包まれています。いつどこで生まれたのか。両親は誰なのか。どんな教育を受けたのか。資料が残っておらず、現在も不明のままです。さらに、死因も不明。一説には、「股の間から景色を覗《のぞ》いて農村風景をスケッチする習慣があり、その姿勢の最中に頭に血が上って死んだ」ともいわれています。どんな最期《さいご》だ！

ちなみに、若くして亡くなったブリューゲルには、2人の息子がいました。この時、5歳と1歳。父と同名の**ピーテル・ブリューゲル（子）**は、地獄の絵を得意としたことから〝地獄のブリューゲル〟と呼ばれています。彼はコレクターのためによく父親の模写をしたのだそう。特に人気のあった《鳥罠《くびち》》は、なんと100点以上のコピーが確認されているそうです。よっ、商売上手！

また、弟の**ヤン・ブリューゲル**は静物画を、とりわけ花の絵を得意としていたため〝花のブリューゲル〟と呼ばれています。なお、そのヤンの息子たちも、さらに、そのまた息子たちも画家の道を歩みました。150年にわたり画家を輩出し続けたブリューゲル一族。美術界きっての華麗《かれい》なる一族です。

ミケランジェロ・メリージ・ダ・カラヴァッジョ《聖マタイの召命》

（1571-1610）イタリア

今日からマタイは!!

あぁ、どうも、**マタイ**です。ちょっと前までね、徴税人《ちょうぜいにん》っていう税金を取り立てる仕事をしてたんですよ。ある時、職場で普通に仕事をしていたら、キリストって人が急に入ってきてね。「私についてきなさい！」って言ったの。俺、ビックリしちゃって。でも、そのまま黙ってついていったら、いつの間にか彼の12人いる弟子の1人になっちゃってたんだよね。

あっ、これはその時の様子を、**カラヴァッジョ**ってイタリアの画家が描いた絵ね。あのさ、この絵って無駄《むだ》にドラマチックだよね。だってさ、冷静に考えたら、おじさんがやってきて、おじさんを連れていくってだけのシーンだよ。ライティングを強調しすぎて、何だか大げさだよなぁ。

あ、こんな風にね、明暗のコントラストを大胆に用いる技法をイタリア語で「明暗」の意味で**キアロスクーロ**、キアロスクーロよりも明暗を強調した技法を**テネブリスム**って呼ぶんだって。イタリア語で「闇」を意味する「テネブローソ」が語源らしいね。定義があいまいだから、俺には2つの違いがよくわかんないけど。このカラヴァッジョって画家は、こんな風に劇的な絵を描くのを得意としてたんだよ。

あ、ちなみにね。彼が登場した16世紀末から、18世紀初頭にかけて、ヨーロッパ各国ではね、やたらとダイナミックでオー

1598−1601年、サン・ルイジ・デイ・フランチェージ教会、イタリア・ローマ

バーな美術が流行《はや》るの。「歪んだ真珠」を意味する言葉で**バロック美術**って呼ぶんだって。この当時、プロテスタントが誕生し、カトリックはピンチを迎えててね。新たな信者を1人でも増やしたいカトリックは、プロテスタントが否定していた宗教美術に目を付けたんだよね。それで、聖書の文字が読めない人でも一目見ただけで、一気に感情が揺さぶられるような感動的な宗教美術を芸術家にいっぱいオーダーしたんだよ。あと、今って絶対王政の時代でもあるでしょ？　それもあって、豪華《ごうか》で絢爛《けんらん》な美術は人気なの。俺はルネサンスの調和を大事にした美術のほうが好きなんだけど。

だからさぁ、カラヴァッジョのこの絵を観て、「カトリック最高！」って思った人もいっぱいいるんだろうね。えっ？　俺？　光に照らされてるヒゲを生やした男が俺なんだけど。いきなり指を差されたもんだから、「お、俺ですか？」って戸《と》惑《まど》った姿で描かれちゃって。せっかくの見せ場なのに、何だかカッコ悪いなぁ。ん？　最近では、画面の左でお金を数えてる若者がマタイって説があるって？　え、あれ？　じゃあ、俺は誰なんだろう？？

Column

優《すぐ》れた宗教画を数多く残しているカラヴァッジョですが、作品に描かれている聖人のような人物だったかといえば、そうではありません。むしろ、真逆。〝美術界一の暴れん坊〟と言っても過言ではないでしょう。職務質問した警官に石を投げて収監《しゅうかん》。警官を侮辱《ぶじょく》して逮捕。これは、まだ序の口。こん棒で人を殴る。剣で人を斬《き》りつける。最終的には殺人事件を起こし、死刑宣告を受けています。もし、この時代にワイドショーがあったなら、確実に常連だったことでしょう。

さて、それらの事件に比べたらカワイイものですが、カラヴァッジョはこんな事件も起こしています。ある日の食堂での出来事。アーティチョークのバター炒《いた》めと油炒めを、それぞれ4皿ずつ注文しました。「どんだけアーティチョークが好きなんだ！」というのは置いておきまして。カラヴァッジョは、料理を運んできたウェイターに「どっちがバター炒め？」と尋ねます。すると、ウェイターはこう一言。「匂いを嗅《か》げば、わかりますよ」。その答えにカチンときたカラヴァッジョは皿を投げつけ、軽い怪我《けが》を負わせたのだとか。たとえ人間性に問題があったとしても、カラヴァッジョの作品の素晴らしさは変わりありません。

ディエゴ・ベラスケス（1599-1660）スペイン
《ラス・メニーナス》

王さまど～こだ？

わらわはこの絵の主役、**マルガリータ**だ。画面の中央で光り輝いているであろう。何？　**「ラス・メニーナス」**とはどういう意味か？　そちの国の言葉に訳せば、**「女官たち」**となるだろうな。ということは、わらわも女官なのかだと？　無礼者《ぶれいもの》！　わらわはスペイン王国の**フェリペ4世**と王妃マリアナの間に生まれた王女ぞ！　女官は、わらわの両サイドにいるマリアとイザベラだ。それから、画面の右に描かれているのは、マリア・バルボラとニコラシート・ペルトゥサートだな。大人なのに、5歳のわらわとほとんど同じ背の高さなのだ。宮廷には他にも、とても太った者やとても背の高い者など、個性的な者が多くいるぞ。

そもそも、この絵が描かれた当時は《ラ・ファミリア（家族）》という題名だったのだが、いつの間にか変わってしまったのだ。おいおい、肝心の家族が描かれていないじゃないかって？　そちは何を言ってるのだ。ちゃんと父上も母上も描かれておるぞ。画面の奥をよく見るのだ。壁に鏡が掛かっておろう。そこに父上と母上の姿が映りこんでいるではないか。つまり、2人はわらわの目の前に立っているのだ。そちが今、この絵を観るために立っている位置のあたりに。

1656年、プラド美術館、スペイン・マドリード

　この絵をはじめ、この宮廷に住む者たちの肖像画や、王宮や離宮を飾るための絵画をたくさん描いたのが、わらわの左にいる宮廷画家の**ベラス**

ケスだ。このベラスケスという画家は、マネというのちの画家に〝画家の中の画家〟と呼ばれるだけあって、とにかく絵がうまいのだ。わらわや女官たちの髪の毛や着ているドレスの質感なんて、実に本物そっくりであろう。それだけでも驚きなのだが、近づいて観てみると、もっと驚くことになるぞ。丁寧《ていねい》に描かれているわけでなく、素早い筆致でサササッと描いているにすぎないことに気づくであろう？　なのに、離れて観てみると、ちゃんと髪の毛やドレスのように見えるのだ。もしかしたら、あの男は魔術師なのかもしれぬな。

それはそうと、ベラスケスの目の前には、自分よりも大きなキャンバスがあるな。何を描いているのであろう？　視線の先にいる父上と母上の肖像画か？　いや、でも、この絵を描くために、わらわはこのポーズを取らされたはずだ。ということは、ベラスケスが描こうとしているのは、この絵なのか？　いや、でも、この絵はすでに完成しているよな。むむむ。考えれば考えるほど、頭が混乱してきたぞ。マリア、おやつとミルクを持って参れ！

Column

24歳という若さで、国王フェリペ4世の肖像画を描いたベラスケス。その肖像画がフェリペ4世に気に入られ、以後、国王付きの宮廷画家となります。あまりの国王の寵愛《ちょうあい》ぶりに、他の宮廷画家から嫉妬《しっと》を買うように。そこで、フェリペ4世は、4人の宮廷画家によるコンクールを開催。見事、優勝したベラスケスは、その報奨《ほうしょう》として王の私室取次係に任命されました。この時点ですでに大出世を果たしていますが、さらにベラスケスはこの後、宮廷警吏《けいり》↓王の衣装係↓王室侍従《じじゅう》代↓王宮特別営繕《えいぜん》監督官（王宮建設の検査官のようなもの）と、島耕作ばりに出世を重ねます。フェリペ4世の寵愛を受け続けたベラスケスは、53歳で、ついに王宮のすべての鍵《かぎ》を預かる超重要な職業、王宮配室長に就任します。そのため、役人として多忙を極《きわ》め、画家としての活動はほとんどできなかったとのこと。なんだか本末転倒のような。ちなみに、ベラスケスは晩年、スペイン最高の貴族の称号の1つであるサンティアゴ騎士団の称号を授与されます。《ラス・メニーナス》が描かれたのは、その3年前なのですが、絵画の中のベラスケスの胸元にご注目。騎士団の紋章である赤い十字が、ちゃっかり描き足されています。

レンブラント・ファン・レイン（1606－1669）オランダ

《夜警》

隊長はつらいよ

あー、困ったなぁ。あっ、ちょうどいいところに！　ちょっと話聞いてもらえます？　私？　私は、《フランス・バニング・コック隊長とウィレム・ファン・ライテンブルフ副隊長の市民隊》でおなじみの**フランス・バニング・コック**です。

え？　タイトルが違う？　《夜警《やけい》》じゃないかって？　いやいや、正式名称はこの長いヤツなんです。《夜警》は通称。ニスが黒ずんだせいで、夜に見え、そう呼ばれるようになったらしいんですけど。修復したら昼の景色だってことがわかったんです。ほら、誰もロウソクとかランタンとか持ってないでしょ？

あ、そうそう。困ったって話でしたよね。17世紀のオランダでは**集団肖像画**ってのがブームだったんですよ。皆でお金を出し合って、1枚の絵の中にメンバー

1642年、アムステルダム国立美術館、オランダ

全員を描いてもらうっていう。まぁ、のちの時代でいうと、集合写真のような感じですね。で、私が隊長を務める「火縄《ひなわ》銃手《じゅうしゅ》組合による市民自警団」も、集団肖像画を描いてもらおうってことになったわけです。しかも人気絶頂の**レンブラント**って画家に。バロック美術を得意とする〝光と影の画家〟って呼ばれてる彼だけに、ライティングを効果的に使って、それはそれはドラマチックな絵画を完成させてく

れましたよ。単に自警団が出動するって何気ない場面なのに、映画のワンシーンみたいに劇的でしてね。私なんか、センターでスポットライトを浴びてて、かなりイイ感じで描いてもらいましたよ。

ただね、メンバーからは不満が殺到《さっとう》ですよ。だって、全員同じお金払ったんですから。人によっては、前のヤツの頭や手で見切れちゃってるのもいますからね。何で一般的な集団肖像画のように、皆が整列するスタイルで描いてくれなかったかなぁ。しかもですよ。ちゃっかり黄色いドレスを着た少女が描き込まれてるんです。それもかなり目立つ感じで。この子、腰のところに鶏《にわとり》をぶらさげてるでしょ。鶏の爪が火縄銃を象徴することから、どうも「火縄銃手組合」をキャラ化したものってことらしいんですけど。レンブラントの妻**サスキア**を描いたって説もあるんですよね。はぁ。そんなん描かなくていいから、メンバーをちゃんと描いてくれよ。皆、もう暴発寸前ですよ。火縄銃手組合だけにね。

あと、困ったといえばこの絵はやたらと傷つけられてるんです。この約100年で3回もですよ。こうなったら、自警するしかないのかなぁ。

Column

光と影の画家レンブラント。その生涯もまさに光と影の人生でした。彼の人生の転機となったのは、27歳の時。彼は市長の娘サスキアと結婚しました。この結婚が、彼に多額の持参金と富裕層へのコネをもたらします。注文も増え、弟子も増え、さらに豪邸《ごうてい》も購入し、充実した日々を過ごしました。

しかし、その一方で最愛の妻サスキアが29歳という若さでこの世を去るわ、子どもは次々と亡くなるわ、プライベートでは数々の不幸に見舞われました。その寂《さび》しさを紛《まぎ》らわすためでしょうか。レンブラントは彼女の遺産を使い、制作のモチーフになりそうなものをバンバン購入し、浪費を続けました。さらに、完璧主義者だったことが裏目に出て、作品完成が大幅に遅れるなどのトラブルが続出。肖像画の注文が激減します。当然、そんな生活が長続きするわけもなく、気づけば借金まみれに。ついには資産を差し押さえられ、コレクションや豪邸は売却されてしまいました。しかし、どんな境遇でも、晩年まで絵を描き続けたレンブラント。そんな『ザ・ノンフィクション』ばりの激動の人生を知ってからというもの、彼の絵を観るたびに、脳内で『サンサーラ』が再生されるようになりました。

ヨハネス・フェルメール《牛乳を注ぐ女》

（1632–1675）オランダ

キッチンメイドのおしゃべりクッキング

何なん？ 《牛乳を注ぐ女》て？ 確かに、こん時は、パンプディングや何や知らんけど、朝ごはんを作っとったで。ほんで、その調理中に固なったパンに牛乳を注《そそ》ぐ瞬間はあったかもせえへん。でも、そんなん、ウチの仕事のほんの一部やん。メイドとして、洗濯もするし、掃除《そうじ》もするやん。てか、せめて「朝食を作る女」とか言うてえや。牛乳を注ぐしかできひん女やと思われたら、どないすんねん。こんなん、ウチの日常の中でも、ほんまどうでもええ場面なんやから。まぁ、ほんでも、そんな場面を名画にしはったんやから、この**フェルメール**いう画家は大したもんやで。テーブルの上にあるパンや青いジョッキも、壁に掛けられた籠《かご》や金属の容器も、全部ほんまもんみたいやなぁ。あと、よう見たら、窓ガラスが1枚だけ割れとったり、壁に釘が刺さってたり、いちいち芸が細かいやん。こういう絵を自分らの時代の人間は、「写真みたいな絵」って言うんやろ。ウチらの時代は、「**カメラ・オブスキュラ**みたいな絵」言うねん。いや、言わへんか。

1660年頃、アムステルダム国立美術館、オランダ

まぁええわ。カメラ・オブスキュラいうのは、外の風景を正確に映し出す光学装置のことで、その映し出された像をトレースしたら、写実的な絵が描けるんやって。知らんけど。フェルメールいう画家も使《つこ》てはったらしいわ。ん？ ほんなら、その装置を使てたら、誰でもこんくらいの絵が描

けるんちゃうかって？　自分何言うてんねん。そんなわけないやん。空間を包み込む柔らかな光の表現を見てみぃな！　こんなん描けんのは、〝光の画家〟フェルメールくらいなもんやで。フェルメールいうんは、窓から差し込む光にリアリティを持たすために、パンとかパン籠の光が当たった場所に細かな白い点を点描《てんびょう》してはんねん。その技法の名前、なんていうんやったかな？　ボランティア……あ、ちゃう！　**ポワンティエ**や！

　ほんでな、フェルメールいう画家は引き算するのがうまいねん。今はウチの足元に足温器が描かれてるけど、もともとはこのへんには洗濯物が入った洗濯籠が描かれとってん。しかも、壁にはでっかい世界地図が掛けられとったねんで。その構図でも十分素敵な絵やってんけど、それやとウチが目立たへんから、あえて上から描き直して、余白のある構図にしはったんよ。そのおかげで、永遠に時が閉じ込められたかのような独特な静謐《せいひつ》さが生まれたんやろな。耳をすませたら、牛乳を注ぐ音が聞こえてくるようや。え？　ウチがしゃべってるせいで静謐さが台無し？　それは、かんにんやで。

Column

研究者によって意見の分かれる作品がいくつかありますが、現存するフェルメールの作品は**35点前後**とかなり少なめ。43歳の若さでこの世を去ったことや、フェルメールが住んでいたデルフトの街で大規模な火薬庫爆発があったことが、現存作品が少ない理由ではないかと考えられています。それから、ビッグダディ並みに10人以上の子どもがいたフェルメール。生活のために宿屋の経営や画商として活動していたので、あまり絵を描く時間がなかったともいわれています。

また、フェルメールは《牛乳を注ぐ女》のエプロンや《真珠の耳飾りの少女》のターバンの部分にも使われている**ウルトラマリンブルー**という顔料《がんりょう》を好んでいました。ウルトラマリンブルーは、当時アフガニスタンでしか採掘されなかった天然の鉱石ラピスラズリをすり砕き、原材料としたもの。あまりにも貴重なため、金と同じくらいの価値があったそう。これもまた、フェルメールが寡作《かさく》であった理由といえましょう。ちなみに、ウルトラマリンブルーは現在の価値にすると、一塗り分が5万円ほどになるとのこと。そんな高価な絵の具をフェルメールが惜しげもなく使うたび、彼の家族はブルーになっていたに違いありません。

ジャン＝オノレ・フラゴナール
（1732－1806）フランス

《ぶらんこ》

夫も愛人も皆仲よくすればいいのに？

皆さん、こんにちは。初めて乗りましたが、ぶらんこってとても楽しいですね。え？　何ですか？　目の前に怪《あや》しい男性がいる？　あぁ、彼は男爵《だんしゃく》の**サン＝ジュリアン**さんです。私のスカートの中を覗こうとしていますね。でも、私は彼の愛人なのです。しょうがない。しょうがない。

私の背後にも怪しげな男が？　彼はストーカーじゃありませんよ。私の旦那です。とっても優しくて、私のために何でもしてくれるのです。今日はぶらんこを全力で揺らしてくれています。愛人の存在には気づいていませんね。あは。

描かれている内容が軽薄だといって批判する人もいますけど、あの『アナと雪の女王』のワンシーンの元ネタにもなったこともある、ちょっとスゴい絵なんですよ。描いたのは、**ロココ時代**の最後に活躍した**フラゴナール**さんです。ロココって知ってますか？　ロココはバロック（36ページ）の次に流行った美術様式です。重厚で劇的だったバロックに対し、18世紀前半にフランスで発祥したロココは、当時台頭した貴族や上流階級好みの優美で繊細な様式です。ちなみに、ロココとは、貝殻《かいがら》や植物をモチーフにした曲線的な「ロカイユ装飾」が語源だそうですよ。ロココの時代に最初に活躍した画家は、**ジャン＝アントワーヌ・ヴァトー**さん

1767年、ウォレス・コレクション、イギリス・ロンドン

ですね。彼は、これまでの美術ではあまり題材にされなかった男女の恋愛や心情を描いたのです。ヴァトーさんが生んだこの新しいジャンルは**「雅宴画《がえんが》（フェート・ギャラント）」**って呼ばれるようになったんですよ。いつの時代も女性は恋愛モノが好きですからね。私も含め当時の女性たちは雅宴画を観て、いっぱいキュンキュンしたんですよ。

それから、ロココでもっとも活躍した画家は、**フランソワ・ブーシェ**さんですね。ルイ15世の愛人だったポンパドゥール夫人のお気に入りで、ルーヴル美術館にはブーシェさんの絵だけが飾られた「ブーシェの間」がありますよ。そんなブーシェさんのもとで学んだのが**フラゴナール**さんです。20歳という若さで画家の登竜門《とうりゅうもん》ローマ賞1等を受賞するほどの天才なのですが、重厚な歴史画を描くよりも、軽やかでエロティックな絵を描くほうが好きだったので、基本的に個人コレクターの仕事ばかりを引き受けていたそうですよ。この絵も、ぶらんこに乗った愛人の足元に自分を描いてほしいというサン＝ジュリアンさんのオファーで描かれたものですし。あっ、靴《くつ》が飛んでしまいました。うっかりです！

Column

17世紀より、フランスの王立絵画彫刻アカデミーによる官設展覧会が定期的に開催されるようになります。サロン・ド・パリ。通称**サロン（官展）**です。これにより、美術品が広く一般に鑑賞されるようになります。美術批評が始まるのも、この頃。その元祖とされるのが、18世紀のフランスを代表する哲学者で作家、『百科全書』の編纂《へんさん》でも知られるドゥニ・ディドロです。彼の批評は辛口。多くの画家を井筒和幸監督ばりに斬っていますが、特に刃《やいば》を向けた相手がブーシェです。ブーシェが描いた田園画と風景画に対しては、こんな発言をしています。

「なんという色！　なんという多様さ！　なんと対象と着想が豊富であることか！　この男は真実を除いたすべてを持っている。……（注略）……こんなに優雅で豪華な衣服をまとった羊飼いを見たことがあるだろうか。」

つまり、「実際にお前は羊飼いを見たことあるのか！　リアリティないだろ！」と批判しているわけです。他にも「色彩が過剰すぎて化学者の実験のようだ」とか「この男は絵画を学ぶ画家にとって癌《がん》である」とかひどい言われよう。公式にディスられた最初の画家の1人。それがブーシェです。

フランシスコ・デ・ゴヤ《裸のマハ》

（1746－1828）スペイン

美術史上もっともスキャンダラスな女

まったく参っちゃうよね。裁判に出るなんてさー。えっ、知らない？　この前、アタシ、宗教裁判に引き出されたのよ。いや、マジで！　理由？　見りゃわかんでしょ。アタシがすっ裸だからよ。しかも、アンダーヘアーまでバッチリ。ここまで描かれたのは、美術史上初めてなんだってさ。ほら、今のスペインってカトリックが強いじゃん？　だから、こんな絵はハレンチすぎるって、教会の偉い人たちがもう慌《あわ》てちゃって。

ん？　裸を描いた絵画はこれまでにもあったって？　あのさ。それは、ヴィーナスとかアダムとイブとか、神話画や宗教画なわけ。架空の女性の裸なら、何となくオッケーってことになってたのよ。まぁ、どうせ男の人はそういう裸の絵を

1800年頃、プラド美術館、スペイン・マドリード

観て興奮してたんでしょうけど。それはともかくさ。

アタシは神様でも物語の人物でもなく、生身の人間なわけ。そこも問題になったみたいね。

こんなスキャンダラスな絵を誰が描いたのかって？　宮廷画家として活躍してるあの**ゴヤ**よ。彼も裁判に召喚《しょうかん》されて尋問を受けてたわね。でも、ほら、彼って40代の時に大病して以来、耳が聞こえなくなっちゃってたじゃない？　だから、聞こえないふりして？　何とかやり過ごしてたようね。最後まで注文主も明かさなかったし。

注文主は忘れちゃったけど、所有していたのは、あの**マヌエル・デ・ゴドイ**よ。そうそう。

スペインの首相を務めてた。しかもね、ゴドイはさ、もう1枚、ゴヤの絵を持ってるのよ。それがさ、アタシが服を着てるバージョン（**《着衣のマハ》**）なの！絵の大きさも一緒。ポーズもほぼ一緒。違うのは、ライティングの具合だけかしら。で、そうやって描かせた絵を滑車式《かっしゃしき》の装置で吊り下げて、アタシの絵の前に飾っていたのよ。だから、ゴドイの家に人が訪ねてきても、その後ろにまさかアタシの裸の絵があるなんて気づかないわけ。でも、時々ゴドイは仲のいいメンツを集めては、滑車を使って徐々に上げてさ、裸のアタシをお披露目《ひろめ》して楽しんでたのよ。まったく男ってのは、いつの時代もおバカな生き物よね。

てか、それはそうと、さっきから指摘しようと思ってたんだけど。アタシの名前、**「マハ」じゃないから！**「マハ」ってのは、スペイン語で「小粋なマドリード娘」って意味。えっ？じゃあ、アタシは誰かって？ゴドイの愛人のペピータって説も、ゴヤと関係のあったアルバ侯爵《こうしゃく》夫人って説もあるわね。さーて、どちらでしょうね？アタシが何でもかんでもさらけ出すと思ったら大間違いだから。

Column

出世欲や金銭欲、自己顕示欲が強く、ギラギラした人間だったというゴヤ。その溢《あふ》れる才能とバイタリティを武器に、43歳で宮廷画家の地位まで上りつめます。以後、四半世紀にわたって、スペイン最高の画家としての地位と名声を欲しいままにしました。70歳を前にして、事実上の引退。ゴヤはマドリード郊外に**「聾者《ろうじゃ》の家」**と通称される別荘を購入。誰に見せるためでもなく、自分のためにその室内を飾る全部で14点の絵を描きます。そのうちの1点がゴヤの代表作の一つで、ローマ神話に登場するサトゥルヌスが自分の子に殺されるという予言に恐れを抱き、食い殺す姿を描いた《我が子を食らうサトゥルヌス》です。

ゴヤの作品の中でもっとも謎めいているとされる《砂に埋もれる犬》もそのうちの1点。首まで砂に埋もれている犬が虚空《こくう》を見つめる不気味な情景が描かれています。他にも、魔女の夜宴の様子や、こん棒《ぼう》で殴り合う2人の男を描いた絵など、色味だけでなく題材自体もダークなものばかり……。人呼んで、**「黒い絵」**シリーズ。こんな絵に囲まれて生活していただなんて。闇堕《やみお》ちにもほどがあります。

ジャン＝オーギュスト＝ドミニク・アングル《グランド・オダリスク》

（1780－1867）フランス

そうだ　オリエント風に、描こう。

どうどすか？　えらい美しく描かれてはりますやろ？　何や一昔前に、むやみやたらにドラマチックでゴテゴテしただけのバロックゆう美術様式（36ページ）や、テーマがスカスカで薄っぺらくてしゃあないロココゆう美術様式（51ページ）が流行ってましたなぁ。あんなんに描かれるのはかんにんしておくれやす。やっぱり美術ゆうたら、古代ギリシャやローマの時代のものが、ほんに素晴らしおすなぁ。誰もが美しいと思える普遍的で理想的な美。いつの時代も画家ゆうんは、そういう美を目指さなあきまへんえ。もっさい画家は色彩を重視しはりますけど、大事なのは絵の基本になるデッサンどす。それから、均衡《きんこう》の取れた構図も大事どすな。でないと、絵の画面がうるさなってしまいますやろ。そのことにフ

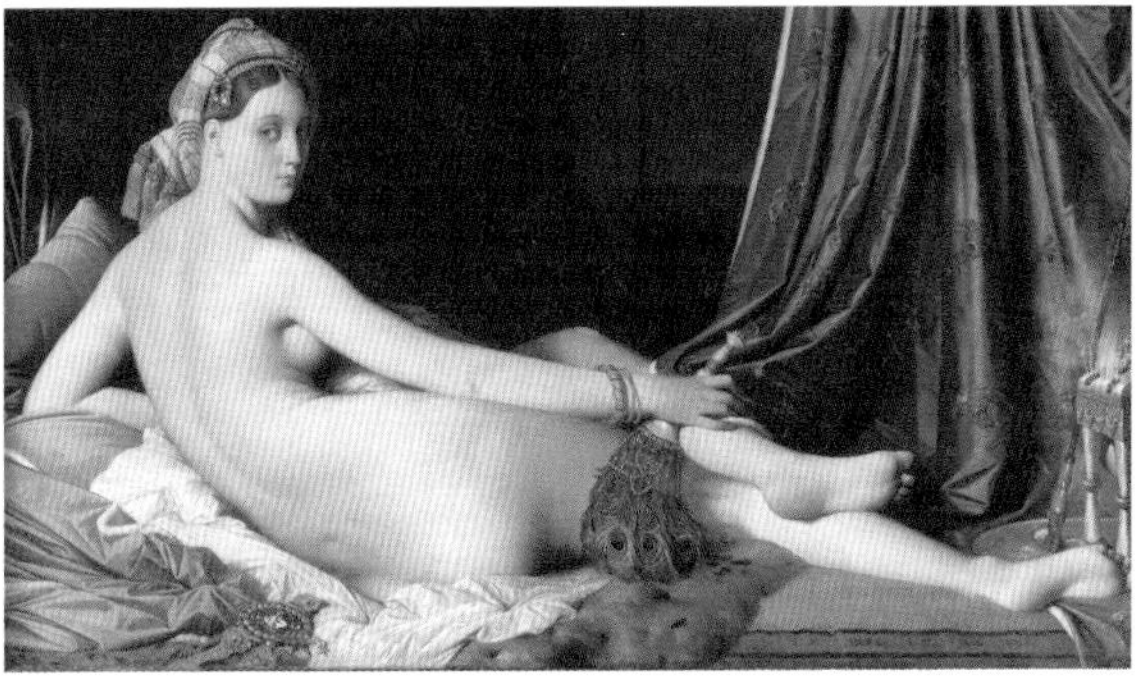

1814年、ルーヴル美術館、フランス・パリ

ランスで最初に気づきはったんが、ナポレオン1世はんの主席画家を務めた**ジャック＝ルイ・ダヴィッド**はんどす。ダヴィッドはんは、ローマを訪れた際に、古代遺跡やルネサンスの絵画、特にラファエロはんが描く美人画に出会って、えらい衝撃を受けはったようどすえ。それまではロココ風の絵を描いたはったようどすけど、それからはガラッと変わって、古典的で壮大な絵を描くようにならはったようどすな。ダヴィッドさんが始めはったそんな美術様式を、**新古典主義**と呼ぶそうどす。新しいのか古いのか、なんや、ややこしい呼び名どすなぁ。

それはそうと、新古典主義の画家の中で

もっとも有名なんが、ダヴィッドはんの弟子の**アングル**はんどす。そんな偉い偉い画家がうちを描いてくれはって、嬉《うれ》しおす。この絵は、ほんまはナポレオン1世はんの妹でナポリの王妃のカロリーヌはんからオーダーされたものやったんどすけど、完成する前にナポリの帝政が倒されてしもて、結局アングルはんの手元に残されたんやそうどす。ちなみにやけど、**「オダリスク」**ゆうんは、イスラムの君主に仕え、ハレムにいはった女性の奴隷《どれい》のことどすえ。ここ最近ヨーロッパでは、オリエント文化が流行ってますやろ？　せやから、オリエント風のターバンを巻いて、孔雀《くじゃく》の羽の団扇《うちわ》を手にした格好で、うちは描かれてるんどすわ。

しかし、あんた、さっきからずーっとうちの背中ばかり見たはりますな。そんなに見惚れるほど肌が美しいどすか？　え？　背中が長すぎる？　解剖学的には背骨が2、3本多いんやないかって？　それによく見れば、腕も長すぎる？　同じようなことを批評家はんたちも言ったはりましたっけ。あんた、いけずなお人やわぁ。

Column

フランスには、**「アングルのヴァイオリン」**という慣用句があるそうです。その意味は、**「得意の余技」**。アングルは、実は幼少期から絵画とともにヴァイオリンを学んでおり、その腕前は玄人《くろうと》はだしだったそうです。15歳の時には、地元のオーケストラでソロ演奏を担当するほど。また、あの天才ヴァイオリニスト、ニッコロ・パガニーニと弦楽四重奏団で一緒に演奏していたという話も伝えられており、実際、アングルはパガニーニを描いた作品も残しています。

ところで、実はこの慣用句にはもう一つの意味があるのだそう。それは、**「下手《へた》の横好き」**。真逆じゃん！ アングルのヴァイオリンの演奏は、聞くにたえないものだったという説もあるそうです。

プロ並みなのか、はたまた素人《しろうと》レベルなのか。アングルには、自分の絵を見に訪ねてきた人に、趣味のヴァイオリンを必ず聴かせるという癖《くせ》があったのだとか。もし後者であれば、聞かされる人間にとっては地獄の時間。しかも、アングルはフランス美術界の重鎮《じゅうちん》です。「下手くそ！ 今すぐ、そんな演奏をやめろ！」なんて言えるわけがありません。まるでジャイアンのリサイタル状態ですね。

ウジェーヌ・ドラクロワ《民衆を導く自由の女神》

（1798-1863）フランス

黙って私についてこい

シャルル10世の横暴を、許すなー！　絶対主義体制、反対ー！　我々に、自由をー!!　えっ、私に話を聞きたい？　ちょっと、見てわかんないの？　今、蜂起《ほうき》した民衆を導いているところなんだけど！　後にしてよ。はっ？　今、あんた何て言った？　今の主流の新古典主義（59ページ）の絵とは雰囲気が違う？　あのさ、あんなのと一緒にしないでくれる？　新古典主義の絵って、ただきれいなだけでパッションがないじゃない。「昔はよかった」だなんて、いつまで寝ぼけたこと言ってんだよって感じ。これからは個人の時代なの。だから、絵画は個人の感情を揺さぶって、訴えかける必要があるわけ！　そのためには、構図はダイナミックなものにするに越したことはないわね。あと、色彩も強烈でないと！

1830年、ルーブル美術館、フランス・パリ

モチーフはそうね。歴史的な事件を描くのもいいけどさ、今まさに起きてるタイムリーな事件を描いたほうが人々の心をグッと摑《つか》むんじゃない？　まぁ、人によって趣味は違うから、文学とか幻想的な主題を描くのもいいわね。新古典主義は「**理想の美**」とか何とか言っちゃってるけどさ、美意識なんて人それぞれでしょ。「**多様の美**」があるわけ。私のこういう考え方を、**ロマン主義**って言うのよ。新古典主義の代表的な画家はアング

ルってヤツなんだけど、それに対抗するロマン主義の代表的な画家が、この絵を描いた**ドラクロワ**ね。ん？　私の隣にいるシルクハットを被《かぶ》った男が、ドラクロワじゃないかって？　似てるような気もするけど、私もいちいち人の顔を覚えてないから、本当のところはどうかわかんないわね。

ところで、あんた、今、私のことジャンヌって呼んだ？　あのさ、よく間違えられるけど、私、ジャンヌ・ダルクじゃないから。フランス共和国を擬人化した自由の女神、**マリアンヌ**だから。一目でわかるように、自由の象徴であるフリジア帽をちゃんと頭にかぶってるじゃない。あと、胸をポロリさせてるでしょ。これ、わざとだから。おっぱいといえば母性でしょ。母性といえば祖国ね。つまり、フランスを表わしてるわけ。はっ？　わかりづらい？　いや、私も薄々そんな気はしてたけどさ……。

で、結局あんたはどっち派なのよ。何？　新古典主義派？　悪いこと言わないわ。今すぐロマン主義派に変えなさい。でないと、このマスケット銃で撃つよ。選択の自由？　そんなものないわ。

Column

〝線〟の画家アングルと〝色彩〟の画家ドラクロワ。

2人の関係は、当時の風刺画のネタになるほどバチバチしたものでした。アングルが「彼には醜《みにく》く恐ろしいものしか描けない」といえば、ドラクロワも負けじと「絵というものは画家と見る人の心の架け橋に他ならない。冷たい正確さは芸術ではない」と返します。

ドラクロワが《民衆を導く自由の女神》をサロンに出品したのは、32歳の時。フランス七月革命をを題材にしたこの作品は人々の心を掴み、フランス政府に3000フランで買い上げられます。それほどまでに画家として認められたにもかかわらず、ドラクロワはアカデミーの会員にはなれませんでした。理由は、アングルが「あの男は絵に大切なものが何かわかっていない」と入会を認めなかったから。その後もドラクロワは何度もアカデミー会員に立候補しますが、アングルは拒否し続けました。結局、彼は8回目の立候補でようやく入会。ドラクロワの年齢は59歳に達していました。ドラクロワのアカデミー入りに対して、アングルはこんな発言をしています。「私はこの愚《おろ》かな世紀と決別したい」。美を追求した2人ですが、「仲よき事は美しき哉《かな》」とはならなかったようです。

ギュスターヴ・クールベ《オルナンの埋葬》

（1819－1877）フランス

しくじり画家 彼みたいになるな!!

ここだけの話、僕、お葬式の雰囲気って苦手なんだよね。それも、知らない人のお葬式なら、なおさら。うん。そう。このお葬式も知人の付き添いで参加してるだけで。

いやぁ、でも、ビックリしたよ。まさかこのお葬式が絵に描かれるなんて。だって、ここオルナンっていうただの田舎《いなか》町だよ。当たり前だけど、死んだ人も列席してる人も田舎に住む普通の人々だし。描いたのは、このオルナン出身の**クールベ**。そうそう、今流行りのロマン主義に噛《か》みついてるあのクールベだよ。

彼に言わせれば、あぁいう絵は美化しすぎで、空想の産物にすぎないんだって。

ほら、クールベって前に、**「私は天使を描けない。なぜなら見たことがないから**

1849-50年、オルセー美術館、フランス・パリ

だ」って発言してたじゃん。彼はさ、美化された世界を描くのではなく、現実の人間社会や自然をありのままに描くべきだと考えてるんだよ。そういう主義を、**写実主義（レアリスム）**って言うんだって。

まぁ、そんなこんなでクールベはこの絵をサロンに出品したわけだ。その時のタイトルは確か、《オルナンのある埋葬に関する、人物で構成された歴史画》だったかな？　今の時代、絵にはヒエラルキーがあるでしょ。一番偉いのは歴史画。そこには宗教画や神話画も含まれるよね。で、次に偉いのが肖像画。もちろん王族とか貴族とか偉い人を描いたヤツね。その次がグッとランクが下がって、風俗画じゃん。

この絵って「歴史画」って名乗りながら、内容は完全に「風俗画」でしょ。しかも、サイズは高さ約3メートル、幅約6・5メートル。歴史画でしか使われない巨大サイズだよね。だからもう、見た人全員ドッキリにかかったみたいな反応だったらしいよ。「どこが歴史画だ！」って怒る人もいたし、「逆に新鮮！」って目を輝かせる人もいたし。

クールベはこの絵をだいぶ気に入ってるみたいだね。あと、自分のアトリエの様子を描いた同じサイズの絵画**《画家のアトリエ》**も。でさ、この前のパリ万博の時に自信作を何点か出展したらさ、この2点だけ出展を拒否されちゃったんだって。

ただ、そこで負けないのがクールべだよね。万博会場の向かいに、自分の絵を展示するパビリオンを作ってさ。『写実主義』って描かれた看板も掲《かか》げて。あっ、実はこれって世界初の個展らしいね。入場料は万博と同じ1フラン！　ただ、まぁ、その価格じゃお客さんは入らなくて。途中からは半額にしたって。それでも個展は失敗。ショックで顔面蒼白《そうはく》だったよ。お通夜みたいな顔してたなぁ。

Column

お騒がせ画家クールベ。《オルナンの埋葬》や《画家のアトリエ》以外にも、スキャンダラスな作品を数多く発表しています。例えば、《水浴びをする女》。セルライトや脂肪の目立つ女性の姿をありのままに描いたため、俗悪で不潔と非難が殺到しました。「ワニでもこんな醜い女じゃ食べる気がしない」とさえ言われる始末。また例えば、**《出会い、こんにちはクールベさん》**。クールベがパトロンであった男性とその召使《めしつか》いのもとを訪れる場面を描いた作品です。恭《うやうや》しく挨拶《あいさつ》をする2人の男性に対して、反《そ》り返って尊大に振る舞うクールベ。その偉そうな姿が、「何さまだ!」と批判されました。

もっともスキャンダラスなのが、**《世界の起源》**。女性の裸体をありのままに描いた作品なのですが、ありのままにもほどがある1枚です。どんな作品なのか気になる方は、覚悟を決めた後にインターネットで検索してみてくださいませ。ただし、電車の中や学校、会社では調べないほうがいいでしょう。ちなみに。2018年、フランスの歴史学者により、ついに《世界の起源》のモデルが判明したそうです。研究者の執念、恐るべし。

ジャン＝フランソワ・ミレー（1814-1875）フランス

《種まく人》

バルビゾン村のココが素晴らしい!!

今か？　ソバの種を蒔《ま》いてるところだ。ん？　オラが第一村人？　このバルビゾン村に、ダーツが刺さったんか？　ビックリだなぁ。はぁ。この村の素晴らしいところ？　はて、なんだべ？　パリから60キロくらい離れてっからよ、今なんつうたか、コレラとかいう病気が流行ってるらしいけんど、その影響はこの村にはないわな。んだから、その病気を避《さ》けるために、最近パリから移り住んでくる人多いみてぇだな。特に多いのが、芸術家だべ。もともと人口300人くらいしかいねぇこの村に、今じゃ100人以上の画家が住んでんだで。そいつらをまとめて、**バルビゾン派**って呼ぶらしいな。ま、その全員が有名ってことはねぇけど。**ミレー**に、**コロー**、**トロワイヨン**、**ディアズ**、**デュプレ**、**ドービニー**、あと**テオ**

ドール・ルソーな。この7人がまぁ、中心的な人物だべ。**〝バルビゾンの七星〟**って呼ばれてんだってよ。なんかアイドルみてぇなネーミングだな。

んだんだ。オラを描いたのは、農民をよく描いている**ミレー**っつう画家だ。それで**〝農民画家〟**って呼ばれてっから、オラたちみてぇに農業をしながら、画家の活動もしてるイメージがあるかもしれねぇけどよ。あいつは別に農業はしてねぇな。ただ、農家の生まれらしいからよ、農作業や農具についてはやたらとくわしいん

1850年、ボストン美術館、アメリカ

だわ。この絵もそうだけどよ、《晩鐘《ばんしょう》》とか《落穂拾《おちぼひろ》い》とか、農家のオラが見てもリアルに描けてると思うもん。んだけどよ、逆にそのせいで、あまりパリでは評価されてねぇみてぇだな。ほら。ちょっと前まではよ、労働者層が支持する共和派が政権で優勢だったけど、今はブルジョワ層が支持する保守派が幅を利かせてんべ？　そいつらからすると、オラたち農民が働いてる姿を崇高《すうこう》に描いた絵っつうのは気にくわねぇみたいだな。オラが描かれた絵を観て、「醜い」っつったヤツもいたんだと。冗談じゃねぇべ。

いや、それはともかくよ。ミレーはな、別に絵に政治的なメッセージを込めてねぇらしいんだわ。それなのに、保守派のヤツらに、農村の貧困ぶりを告発する危険な思想の持ち主って思われて目の敵《かたき》にされてんだべ。かわいそうだな。もしかしたらよ、ミレーっつう画家は、フランスよりもアメリカとか日本とか、働き者の多い国のほうで人気が出るかもしんねぇべ。オラな、こう見えて読書が好きなんだわ。いつかオラの絵、日本の出版社のロゴマークとかに採用されねぇかなぁ（※）。

※ミレーの《種まく人》は岩波書店のマーク。

Column

農民を描いた画家というイメージが強いミレーですが、若い頃は生活のために裸体画《らたいが》も多く描いていたようです。しかし、ある日、ミレーは自分が描いた裸体画の前で若者2人が会話している場面に遭遇します。

「なぁ、お前、この画家知ってる?」

「あれだろ? 裸の女しか描かないミレーって画家だよな」

その発言にショックを受けたミレーは一念発起《いちねんほっき》。妻に**「もう裸体画は描かない!」**と宣言し、描きたいものだけを描くべくバルビゾン村に移り住んだのです。

若き日のミレーは生活のため肖像画も多く描いています。シェルブール市から、亡き市長の肖像画をオファーされた時のこと。市長と面識がなかったミレーは、資料を紐解《ひもと》きどうにか肖像画を仕上げました。しかし、「本人に似ていない!」という理由で市議会は受け取りを拒否します。それに腹を立てたミレーは、**《モーセに扮《ふん》した自画像》**を市に送りました。その絵の中でミレーは怒りの表情を浮かべ、手にした十戒《じっかい》の一文「汝隣人《なんじ》に対して偽《いつわ》りの証《あかし》をするなかれ」を指差しています。結果、市はミレーに当初提示した金額の3分の1を支払ったのだとか。

エドゥアール・マネ（1832-1883）フランス
《フォリー＝ベルジェールのバー》

シャンパンが、お好きでしょ

お客さん、ここは初めてですか？　このフォリー＝ベルジェールは、今パリでもっとも大きな大人の社交場ですからね。初めて来た人は皆キョロキョロしちゃいますよね。で、注文はどうします？　シャンパン？　カウンターの上にありますよ。え？　私が開けたほうがいいですか？　せっかく服をピシッと着こなしているので、余計なことはしたくないんですけど。まぁ、初来店のサービスということで。はい、どうぞ。ついでに私も1杯もらっちゃいますね。乾杯！

あ、お客さんから見て、一番左にあるそのボトルですか？　ラベルに「manet 1982」って描いてありますよね。それは、この絵を描いた画家と描かれた年。お客さん、**マネ**さん知らないいんですか？　ほら、サロンに**《草上の昼食》**って絵を

1881-82年、コートールド・ギャラリー、イギリス・ロンドン

出品して話題になったあの画家。

そうそう。最近流行している若い男性が娼婦《しょうふ》を連れ立ったピクニックを描いた絵。男性は服を着てるのに、女性は裸で。なんて不道徳な絵だって大炎上してた絵ですよ。

そういえば、その次に発表した**《オランピア》**はさらに炎上してましたよね。オランピアって名前といい、モデルの身に着けているものといい、あの女性を見たら誰でも高級な娼婦を連想しちゃいますよね。それで、低俗で卑猥《ひわい》な作品だって批判が殺到して。「雌《めす》ゴリラみたい」って批判した人もいたそうですよ。何だか小学生みたいな悪口ですよね。あ、シャンパンもう1杯もらっていいですか？

そんな風にバッシングばかりされて、美術界の反逆児扱いされてますけど。マネさん本人は炎上させる気はなく、むしろサロンで認められたかったんです。この絵は彼が最後にサロンに出品したものですよ。もちろん、また批判は浴びてましたけど。私の顔が無表情だって。もう本当に頭にきますよね！　飲まなきゃやってられないですよ。一番多かったのが、鏡に映ってる光景が不自然すぎるって批判です。鏡に映る私の位置がなんか変ですよね。実は、この絵って、ここで描いたわけじゃないんです。この頃、マネさんは手足のマヒや痛みに苦しんでて、アトリエにバーのセットを組んで、私はそこにわざわざモデルしに行ったんです。ここだけの話、何度も描き直されて、面倒くさかったですよ。どういう意図で、この位置で描いたか？　さぁ、真相はマネのみぞ知るってところですかね。

えっ？　いつの間にかシャンパンがなくなってる？　確かに鏡の中では、本数減ってますよね。ん？　そういうことじゃないって（汗）？

Column

近代絵画の道を拓《ひら》いたマネと、その8歳年下で**印象派を代表する巨匠モネ**。マネとモネ。名前がよく似ているため、日本人は混同しがちですが、実は本国フランスでも混同されやすいのだとか。というのも、マネのスペルは「Manet」で、モネのスペルは「Monet」と1文字違い。水野真紀と水野美紀と、同じくらいよく似た名前なのです。実際、彼らがまだ生きていた頃、そのことが原因でハプニングが起こっています。それは、1866年のサロンでの出来事。自分の作品が入選していますようにとドキドキしながらマネが会場に向かったところ、すでに鑑賞し終えた人々から喝采《かっさい》を浴びました。どうも自分の作品は見事入選した模様です。気をよくしたマネが壁に目を向けると、そこには自分の絵ではなく、モネの絵が飾られていました。どうやらサロンの出品リストに間違いがあったようで、モネの絵とマネの絵が逆になっていたのだそうです。モネの名前で出品されたマネの絵は、残念ながら落選していました。ちなみに、その時落選していた作品は**《笛を吹く少年》**。このエピソードを知った上で絵を観ると、少年が悲しいメロディを吹いているようにしか思えません。『ドナドナ』とか。

クロード・モネ《印象、日の出》（1840-1926）フランス

印象派誕生の地から生中継

今、私はフランスの北部にあるル・アーヴル港に来ております。そうです。**クロード・モネ**氏が発表し、世間をザワつかせたあの《印象、日の出》の舞台となった場所です！

ここで一連の騒動を振り返っておきましょう。ご存じのように、チューブ入りの絵の具が発明改良されたことにより、画家はアトリエだけでなく、屋外でダイレクトに油彩画を描けるようになりました。モネ氏をはじめとする若手画家たちは、せっかく外で描くのであれば今自分が目にしている太陽の光の明るさをそのまま表現したいと考えるように。光というのは、赤や青、緑などさまざまな色が混ざっていますよね。しかし、それを絵の具で再現しようとしても、絵の具には、

1872年、マルモッタン美術館、フランス・パリ

混ぜれば混ぜるほど色が濁《にご》ってしまうという性質があります。**光の三原色と色の三原色**は違うのです。そこで、モネ氏が考案したのが、絵の具をパレットでは混ぜないという方法でした。その代わりに、原色に近い絵の具をあえて細かいタッチでキャンバスに直接並べていきます。すると、どうでしょうか？　近づいた時にはただの無数の筆跡にしか見えないのに、絵と距離を置いてみると、それらの筆跡が鑑賞者の脳内で混ざり合って色鮮やかに見えるのです！

とはいっても、この**筆触分割**《ひっしょくぶんかつ》と呼ばれる画期的な技法で描かれた絵は、これまでの絵を見慣れている私たちにとっては、あまりにも斬新すぎるものですよね。先日、街の声を調査したところ、大半の方がモネ氏らの絵は受け入れがたいと感じているようでした。事実、モネ氏の絵はサロンで落選。それを受けてモネ氏は、友人のルノワール氏やドガ氏らとともに、世界初とされるグループ展〝画家、彫刻家、版画家などによる共同出資会社の第1回展〟を開催します。そこで、あの《印象、日の出》を出品し、不評を買うこととなったのでした。

この絵を観た美術批評家のルイ・ルロワ氏は、「確かに、印象しか感じない絵だな。この海の絵よりも作りかけの壁紙のほうが、まだよくできているくらいだ」と酷評。さらに、ルロワ氏は展覧会を〝**印象派展**〟呼ばわりしました。この侮《ぶ》蔑《べつ》的なパワーワードは、今ではすっかり人々に定着している模様。最近では、酷評された当の画家本人たちも印象派と自称しているそうです。私を含め、多くの人々が印象派の絵画を理解できていませんが、もしかしたら、遠い将来、彼らのもとに陽《ひ》が昇る日が来るのかもしれませんね。以上、現場からお伝えしました。

Column

〝光の画家〟

と呼ばれたモネは、その生涯にわたって、「移りゆく光の変化」を描くことを追い求め続けました。カメラがある今でこそ、「移りゆく光の変化」をパシャパシャと写真で収めることは可能ですが、絵画で表現するのは至難の業《わざ》。描いているうちに刻一刻と光は変化していきます。日の出を描いていたはずが、気づけば日の入りに、ということもあるでしょう。そこで、モネが考えたのが、**連作**という制作スタイル。積み藁《わら》やルーアン大聖堂といったモチーフを、朝の光、昼の光、夕方の光、夏の光に冬の光、晴れた日の光や薄曇《うすぐも》りの日の光など、さまざまなバリエーションの光で何枚も描くというものです。とりわけモネが多く描いたのは、自宅に造らせた睡蓮の庭。描く際には、何枚もキャンバスを用意しておき、朝の光用、昼の光用といった具合に分け、それらを数日かけて同時並行で描き進めていったのだそう。ちなみに、モネが描いた《睡蓮》は200点以上残されています。それらの《睡蓮》は、大原美術館や国立西洋美術館の他に、ポーラ美術館やDIC川村記念美術館、アサヒビール大山崎山荘美術館など多くの日本の美術館で観ることができます。日本人は、やっぱりモネが好き。

ピエール＝オーギュスト・ルノワール《ムーラン・ド・ラ・ギャレットの舞踏場》

（1841-1919）フランス

舞踏場だョ！　全員集合

なぁなぁ、この前の第2回印象派展に出てた**ルノワール**の作品見た？　**《陽光の中の裸婦》**って絵。緑の中に裸の女性が1人佇《たたず》んでてさ。そんで、全身に木漏《こも》れ日を浴びてて。その表現がめちゃくちゃインパクトあったのよ。ほら、普通さ、人の肌って、薄橙《うすだいだい》とかで描くじゃない？

でもさ、実際、明るいところで人の肌を見てみると、赤だったり緑だったり、いろんな色があるわけだ。それをルノワールは忠実に再現してみせたのよ。俺は、すげえ絵だと思ったよ。だけどさ、一般の人は、あんな風に表現された肌を見慣れてないいじゃん？「紫や緑の斑点《はんてん》が浮き出した腐敗《ふはい》しつつある肉の塊だ」とか「腐乱《ふらん》死体のようだ」とか、ひどい言われようだったぜ。いや、画家仲間として

1876年、オルセー美術館、フランス・パリ

は、同情しちゃうわな。俺？　そう、俺も画家やってんのよ。**フランン＝ラミ**って名前。聞いたことない？　あっそう。

ルノワールに頼まれて、俺も第3回印象派展に出展したんだけどさ。ルノワールが描いたあの大作に、話題を全部持ってかれたよね。ほら。モンマルトルにある、最近若者に人気のダンスホール、**ムーラン・ド・ラ・ギャレット**を描いた絵。あそこって、天気がいい日には、庭にテーブルとか椅子とかを出して、野外舞踏会を開いてるのよ。ルノワールは、その楽しげな様子を描きたかったんだって。たださ、当たり前だけど、皆踊ってんじゃん？　わざわざ知らない画家のためにポーズなんて取ってくれないよな。そこでルノワールは、友人たちにモデルになってくれるよう頼んだのよ。画面の左側でダンスをしてる黒い帽子のヤツは、キューバの画家カルデナスだろ。で、その相方の女は、ルノワールのお気に入りのモデルのマルゴ。画面の真ん中でベンチに座ってんのと、その後ろにいるのが、姉妹でモデルやってるエステルとジャンヌだ。それから、右側のテーブルに座ってメモを取っているのが批評家のリヴィエール、その横でタバコをくわえているのが画家のノルベール・グヌットだな。

　何？　ルノワールはそんなに人望があったのかって？　それがさ、モデルをしてくれたら今流行りの帽子をプレゼントするって、モノで釣《つ》ったんだよ。俺か？　俺はもちろん友人として、モデルを手伝ったよ。画面のどこかに描かれてるはずだぜ。え～っと……どこだ……おいおい。まさか、この画面手前の椅子に座ってるヤツが俺か？　後ろ姿じゃねーかよ！　てか、帽子もくれねえのかよ！

Column

ルノワールは元祖萌《も》え絵師なのでは？　アーティゾン美術館所蔵の《**すわるジョルジェット・シャルパンティエ嬢**》を観るたびに、そんな考えがよぎります。「子どもの絵＝カワイイ」というのは、実は近代になってからのこと。というのも、その昔、画家に肖像画を注文していたのは王族や貴族。子どもといえども、画家よりも身分は上です。画家はひざまずき、子どもと同じ目線になり威厳のある姿を描きました。ところが、「子どもを可愛く描きたい！」と考えていたルノワールは、あえて子どもを座らせ、自分は立った状態で絵を描いたのです。すると、自然と子どもは上目遣《うわめづか》いになり、可愛さがアップしました。萌えイラストが生まれるよりはるか昔に、ルノワールは上目遣いを意図的に取り入れていたのですね。また、子どもの小ささを強調すべく、大人用の椅子に座らせ、足を組む大人びたポーズを取らせるという萌えテクニックもさりげなく取り入れています。

ちなみに、秋葉原でアキバ系の方100人に「どのルノワールの絵が一番萌えるのか」というアンケートをしたことがあります。1位はぶっちぎりで《**イレーヌ・カーン・ダンヴェール嬢**》。喫茶室ルノアールによく飾ってあるあの絵です。

ジョルジュ・スーラ（1859-1891）フランス

《グランド・ジャット島の日曜日の午後》

おちこんでるようにみえるけれど、わたしはげんきです。

……………………………………。えっ……あ……私に話しかけてるんですか？　ごめんなさい……セーヌ川をボーっと眺《なが》めてて……。はぁ……ここにはよく来ますよ。えぇ……ペットの猿《さる》を連れて…………。あの……そんなに私のことを見ないほうが……目がチカチカしますから。この絵を描いたのは……**スーラ**さんです。彼は……確か……光学理論を研究してまして……。え〜っと……印象派の絵って明るいですよね？　あれは……キャンバスで絵の具を混ぜるんじゃなくて……キャンバスに直接置いて……あ、そうです。**筆触分割**という技法……ご存じでしたか。すいません。それで……その技法を突き詰めれば……もっと明るい絵になるはずって……スーラさんは考えまして。具体的には……点々を小さ

1884－86年、シカゴ美術館、アメリカ

くしたのです。はい……小さければ小さいほど……鑑賞する皆さまの目の中で……色が混ざりやすく……明るく感じますよね？　そのために、スーラさんは……この画面全体に……ひたすら小さな点を描き続けたのです。う～ん……考えただけで、気が遠くなりますよね…………。それから……スーラさんは光だけでなく、色彩の研究もされてまして。……**補色**って知ってますか？　例えば……黄色と紫とか、青とオレンジとか……お互いの色をもっとも目立たせる組み合わせのことです。緑の補色は……え～っと……赤ですね。

この絵では……意図的に赤色が何カ所も使われています。……と、スーラさんが生み出したこの新しい美術様式は、こう呼ばれています。新たな印象派なので……………**新印象派**と。間《ま》をためたわりに、捻りのないネーミングですよね……なんか申し訳ありません。

あ、ちなみに……研究熱心なスーラさんはこの絵を完成させるまでに……17枚も習作を描いたそうですよ。それと……絵の明るさをより際立たせるために……画面の四方に紫色の枠を描き込みました。実は……この枠も点描でして……赤と青の点で描かれています。あと……木製の純白の額縁《がくぶち》に入れたのも……絵を明るい印象にするためだそうですよ。

……え？　そんなに明るい絵にしたいのに……描かれてる私の表情が暗いじゃないかって？　はぁ……これでも……今日はテンションが高いほうなのですが。それに「……」が多い？　あの……それは……**点描技法**で描かれているので……すいません。

Column

「新印象派の絵には、一体いくつの点が描かれているのか？」

ある日、そんな疑問がふと湧《わ》きました。新印象派にくわしい知り合いの学芸員さんに質問したところ、「そういうデータや報告はないですよ」との答えが。

よし！ ならば、自分が数えてみよう！ というわけで、絵の点の数を数えてみることに。2×3mの《グランド・ジャット島〜》を数えるのは大変そうなので、スーラと同じ新印象派の画家ポール・シニャックの**《サン＝ブリアックの海、ラ・ガルド・ゲラン岬、作品211》**（65×81・5㎝）で挑戦しました。

高解像度の画像データをパソコンで読み込み、最大まで拡大。点一つひとつを、赤色で印を付けながらカウントします。チャレンジは朝9時にスタート。無心で点を数えていきます。1時間が経過した時点でカウントした点の数は1000個。赤く染まったのは左上のごく一部だけでした。その後、地獄のような単純作業をひたすら続けること、15時間半。日付が変わって、翌日の0時30分にようやく数え終わりました。絵の中に描かれていた点の数は、実に7万2350個！ 数えた僕も頑張りましたが、描いたシニャックはもっと頑張りました。

フィンセント・ファン・ゴッホ

（1853-1890）オランダ

《ひまわり》

会いに行ける美術界のアイドル

私たちは〝笑顔花咲く美術界のアイドルグループ〟『向日葵《ひまわり》15』です！　よろしくお願いしまーす！　私は結成以来、不動のセンターを務めるひまわりです。今日は、結成した時のお話をしますね♪

私たちの生みの親の**ゴッホ**さんって、浮世絵がとっても好きだったんですよ。浮世絵って色が明るいですよね。だから、日差しの強い南仏に行けば、日本みたいに明るいはずだって考えて、アルルって町に移り住むことに決めたんです。で、せっかくなら、アルルに芸術家のコミュニティを作ろうって思って。お友達の芸術家さんたちに、アルルに来ませんかって手紙を送ったんですよ。でもでも、結局その誘いに乗ってくれたのは、**ゴーガン**さん（98ページ）1人だけでした。人望ないですよねー。その頃、ゴーガンさんは借金が多かったみたいで、ゴッホさんが住んでた「黄色い家」でのシェアハウスを決めたんです。

理由はどうあれ、ゴッホさんとしては、ゴーガンさんがアルルに来てくれるのは嬉しかったみたい。ゴーガンさんを喜ばせようと、アルルの太陽を象徴するひまわりの絵で部屋を飾ろうって考えたんです。ゴッホさんがまず描いたのが、花瓶《かびん》に挿《さ》された3本のひまわり。次が、5本のひまわり。さらに、12本、15本と、ゴーガンさんが来る前に4点のひまわりの絵を生み出したんです。

ゴーガンさんは、その絵

1889年、SOMPO美術館、東京都

を観て、ゴッホさんの作風を本質的に表わした完璧な1枚と絶賛しました！　このまま2人で仲よくやっていけるのかなぁと思ったんだけど、性格がまったく合わなくて、よく衝突《しょうとつ》してたみたいです。で、ゴッホさんが例の耳切り事件を起こして、たった2カ月でシェアハウス生活は終了しちゃいました。その直後に、4番目のひまわりの絵を元に描かれたのが、私たちなんですよ。4番目の絵と、15本のメンバーの見た目やフォーメーションはほぼほぼ一緒なんですけど、時間も絵の具もたっぷりかけてゴッホさんが制作した分、5番目に誕生した私たちのほうが、アグレッシブな感じですよ。ちなみに、ゴッホさんはあと2点、ひまわりの絵を描いてます。

ゴッホさんが生きてた頃は、私たちを含めゴッホさんの絵って、全然人気がなかったんです。グスン。でも、ゴッホさんが亡くなってから、徐々に人気に火がついて。1987年に行なわれたオークションでは、私たちに約53億円の値段が付いたんですよー！　今、私たちはその値段を付けてくれた新宿の**SOMPO美術館**さんを拠点《きょてん》に活動しています。皆さん、ぜひ会いに来てくださいね♪

Column

1888年12月24日。ゴッホ史上もっとも有名な事件が発生しました。発端はさかのぼること1週間前。ゴッホとゴーガンは何度目かの口論を始めました。それにより2人の不仲は決定的に。そして、ついに事件当日、ゴーガンは「黄色い家」を飛び出します。ショックを受けたゴッホは、以前ゴーガンがゴッホの自画像を目にした際に、耳の描写をディスっていたことを思い出し、耳たぶの一部を衝動的に切断。そして、切断したものを、「僕を忘れないで」という言葉とともにお気に入りだった女性に送り届けました。何、そのクリスマスプレゼント！

さらに、ゴッホにはこんなエピソードも。ゴッホ、28歳。実家に夫を亡くしたばかりのいとこ、ケーがやってきます。傷心のケーに恋したゴッホは、猛烈にアプローチを開始。拒むケーは「無理無理！」と実家に逃げるように帰ってしまいました。諦《あきら》めきれないゴッホはケーのもとへ。そして、自分の本気ぶりをケーの両親にアピールすべく、おもむろにロウソクを取り出すと、炎の上に自分の左手の指をかざしました。困惑する両親に、ゴッホはこう言います。「僕が苦痛に耐えられている間だけ、彼女に会わせてください」と。熱湯コマーシャルか！

ポール・セザンヌ《りんごとオレンジ》

（1839-1906）フランス

りんごすごいや すごいやりんご

どうも、「フルーツ界一の革命児」りんごです。人類がエデンの園で暮らさないようになったのも、ニュートンが引力を発見したのも、iPodやiPhoneが誕生したのも、全部僕らりんごのおかげ。そうそう。僕らは、音楽や美術といった文化面でも革命を起こしてますよ。音楽で革命を起こしたといえば、ビートルズ。そのメンバーの1人が、リンゴ・スターですからね。ん？ リンゴ違いじゃないかって。まぁ、これは冗談。でもね、美術の世界で革命を起こしたのは本当なんですよ。

セザンヌって画家は知ってます？ マネと同じく **〝近代絵画の父〟** と呼ばれてる画家なんですけど。彼は「りんご1つでパリを驚かせたい」が口癖でして。で、

1895－1900年、オルセー美術館、フランス・パリ

実際、この僕を描いた絵で美術界に衝撃を与えたわけです。何々？　普通の静物画じゃないかって？　いやいやいや、絵の全体をよーく見てくださいよ！　どこかおかしなことに気づきませんか？　画面のセンターにいる僕とその横のお皿は上から見下ろすように描かれているのに、その後ろの脚付きの食器や水差しは真横から描かれていますよね。それに、テーブルも何だか歪んでますし。これは、あえてこうして描いているんです。もともとセザンヌは印象派風の絵を描いていたんですが、ある時、印象派の絵の限界に気づいてしまったんです。印象派の絵は一瞬の

きらめきを表現しようとするあまりに、モチーフに実在感が生まれていないと。

そこで彼は、モチーフをその形が単純化するまで徹底的に観察しました。そうすることで、特定のあのりんごではなく、「りんご」そのものを描こうとしたのです。これまでの画家は、ある1つの視点から見えた光景を、見えたままに描いていましたよね。でも、セザンヌは、モチーフをあらゆる角度から観て、自分なりのベストアングルを見つけ、それらがもっとも調和するよう、画面の中で組み合わせました。こうして描かれた絵は、確かに不自然さはあるかもしれません。だけど、妙に実在感のある絵だと思いませんか？

彼が何より革命的だったのは、現実世界を絵で再現するのではなくて、絵でしかできないことを表現しようと考えたところにあります。セザンヌが登場したことで、のちの画家が「絵画とは何か？」「画家に何ができるのか？」と真剣に考えるようになりました。これはまさに、美術界におけるりんごレボリューション！　……え？　実在感はあるけど、りんごかオレンジか区別つかない？　決め台詞《ぜりふ》のあとにそれ言います？　恥ずかしくて、全身が赤くなってきましたわ。

Column

観察魔のセザンヌは、モデルにとっては大変困った画家でした。あまりにも絵筆を動かさないので、「1つのタッチから次のタッチに行くまでに20分もかかっていた」とか「絵筆を握ったまま、瞑想《めいそう》しているのかと思った」といったモデルの証言が残されています。また、セザンヌの生涯唯一の個展を開催した画商ヴォラールの肖像を描いた際には、100回以上もポーズを取らせた挙句《あげく》、彼が居眠りして姿勢を崩《くず》してしまった際には「なんてことだ！　君はポーズを台無しにした！　りんごのように動いてはならないと何回言えばわかるんだ！　りんごは動かないぞ！」とキレたそうです。しかも、そんな風にモデルをさせられながら、セザンヌに途中経過を尋《たず》ねると、「ワイシャツの前の部分はそう悪くない」と返ってきたのだとか。僕ならマネキンを置いて帰ります。はい。その怒りの矛先《ほこさき》は、人間以外にも。ある日、花の静物を描いていたセザンヌ。しかし、時間が経《た》てば当然、花の色は変化し、萎《しお》れていきます。それにいら立ち、造花を使用することにしました。ところが、長時間描いていたらその造花も色褪《あ》せてしまい、造花に対してもキレたのだとか。「りんごは怒らないぞ！」と言ってやりたい。

ポール・ゴーガン《我々はどこから来たのか 我々は何者か 我々はどこへ行くのか》

（1848－1903）フランス

タヒチより愛をこめて

アー、今フルーツを採《と》ってるトコロネ！　チョット待テテ！

採れたネ。デ、私に何聞キタイ？　題名の意味？　画面の右に描かれてル赤ちゃんと3人の女性が、『我々はどこから来たのか』に当たる「人生の始まり」を象徴してるネ。そして、中央にいる私たち青年期のメンバーが『我々は何者か』を表わしてるヨ。『我々はどこへ行

1897年、ボストン美術館、アメリカ

くのか』は、画面左の老いた女性ネ。死への抵抗を諦めて迎え入れるような表情してるダロ？

この絵ヲ描イタハ、**ポスト印象派**を代表する画家**ゴーガン**ヨ。ポスト印象派て名前だけ聞くと、印象派と似た感じ受けるかもダケド、全然違うネ。独自のスタイルで、印象派を超える表現を目指したヨ。ゴーガンは**総合主義**という様式を提唱したネ。簡単にいえば、現実と想像、客観と主観を、1つの画面の中に「総合」する試みのコト。

この絵の舞台は、タヒチの島ネ。でも、実際のタヒチの光景とハ、だいぶ違うヨ。

青い色した像は、ゴーガンの想像で描かれた、タヒチ神話の神ネ。その隣の女の子モ、タヒチの島民ポクないヨ。この絵を描くチョット前に、ゴーガンの娘が病死してるカラ、娘を描いたのカモ。

総合主義は他にも「線や色彩、形態についての美学的な考察」も「総合」しようとしたヨ。ココ、チョット難しいネ。ゴーガンがたどり着いたハ、**クロワゾニスム**という様式ヨ。私の体ヨク見ロ。体に、黒く太い輪郭線あるダロ？　ステンドグラスを意識した斬新な描き方ネ。モチーフを単純化して平面的にすることで、たくさんの要素を「総合」したネ。生前はあまり評価されなかったゴーガンだけど、一部の若い画家たちは熱狂的に支持したネ。特に**ポール・セリュジエ**は、ゴーガンに「木が赤に見えたら、赤い絵の具を。影が青に見えたら、青い絵の具を使いたまえ」と助言されタ。「そんなに自由に描いていいのか！」と衝撃を受け、ゴーガンの教えに共感した仲間達と「預言者（＝ナビ）」になぞらえて**「ナビ派」**を名乗ったヨ。何？　美術用語がいっぱいで、我々はどこから覚えたらいいのカ？　それは自分で考えるネ。

Column

ゴーガンの人生は、まさに波乱万丈《はらんばんじょう》でした。

若き日は、証券マンだったゴーガン。デンマーク人の女性と結婚し、5人の子宝にも恵まれます。仕事は順調。収入も多く、コレクターとして現代絵画を集めるように。さらに、趣味が高じて、自分でも絵を描くようになります。

ところが34歳の時に人生が一変します。パリの株式市場の株価が大暴落したことで、収入が激減してしまったのです。その時、ゴーガンは何を血迷ったのか仕事を辞め、画家への転身を決意！　パリを離れ、家族全員で田舎町へと引っ越しました。しかし、当然絵だけで生活できるわけはなく、妻は子どもを連れてデンマークへ帰ってしまいます。慌てて追いかけますが、異国で言葉も通じず、結局単身フランスに帰国。その後、フランス各地を転々とするも、画家としては芽が出ず。文明社会が嫌になったゴーガンは、南国の島タヒチへと移住します。ところが、タヒチは植民地化が進んでおり、彼が理想とする楽園ではありませんでした。その後、自殺を図《はか》ったり。生涯貧困に苦しんだり。晩年は健康状態が悪化し入退院を繰り返したり。名画は描けても、人生設計は描けなかったようです。

エドヴァルド・ムンク《叫び》

（1863-1944）ノルウェー

橋の中心で、主張を叫ぶ

皆さん、僕の主張を聞いてくださーい！　ずっと前から言いたいことがありました——！（なーにー？）

この絵のタイトルを《ムンクの叫び》と勘違いしてる人がいますが、正しくは《叫び》の2文字だけでーす！　**ムンク**は画家の名前だぞー！（アハハハ！）

それから、もう1つ、勘違いされていることがあります！（なーにー？）僕が叫んでる姿を描いた絵だと思ってる人が多いけど、実は、叫んでいませーん！（えー！）この絵に関して、ムンクは日記にこう書き残しています！

「友達2人と道を歩いていた。太陽が沈もうとしていた。物憂《ものう》い気分のようなものに襲われた。突然、空が血のように赤くなった。僕は立ち止まり、フェンスにもたれた。ひどく疲れていた。血のように、剣のように、燃えさかる雲。青く沈んだ港湾と街を見た。友達は歩き続けた。僕はそこに立ったまま、不安で身をすくませていた。」って、友達なら、ムンクの異変に気づいてやれよ！　2人でスタスタ行っちゃうなよー！（確かにー！）

1893年、オスロ国立美術館、ノルウェー

そして、日記はこう続きます！「ぞっとするような、果てしない叫びが自然を貫《つらぬ》くのを感じていた」と！

つまり！　叫び声の幻聴を聞きたくなくて、耳を塞《ふさ》いでいる姿なんです！（そうなんだ！）

ていうか、今もさっきから「何ー？」とか、「そうなんだ！」とか幻聴が聞こえてます！　お願いだから、黙っててください！（わかりま……あ、ごめん）それから、ムンクにも1つ言いたいことがあります！　僕はムンク自身がモデルとも言われています！　だったら、ちゃんと髪の毛も描いてくれー！　このせいで、「ハゲだ！」ってよく笑われるんだぞー！　あと、こんな顔だから、パリ万博に出品されていたペルーのミイラがモデルじゃないかって説もありまーす！

最後に、これだけは言わせてください！　ただインパクトが強いだけの絵って思われてるけど、実は美術史的にも重要な絵なんです！　これまで主流だった印象派の絵は、目に見える現実の世界を描いたものでしたー！　しかし、ムンクが描いたこの絵は、彼の内面にある不安や恐怖といった目に見えない世界を描いたという点で、とっても革新的でした！　その後、ドイツの画家を中心に多くの画家がムンクに続きました！　ムンクがパイオニアとされる、こうした画家の精神や心を描く美術様式を……え〜っと……確か……（表現主義！）そう！　**表現主義**と言います！　幻聴ありがとう！（どういたしまして！）

Column

ムンクには、制作に関してちょっと変わったルールがありました。それは、あえて絵にダメージを与えるというもの。完成した作品は、野外に放置。雨に濡《ぬ》れようが、強風に煽《あお》られようが、直射日光を浴びようが、犬に引っ掛かれようが、お構いなしでした。また、無数の切り傷を付けたり、ロウをたらしたり。こうした**「荒療治《あらりょうじ》（ヘステキュール）」**をすることで、絵に生命が宿ると考えていたそうです。ジーンズはダメージがあるほど愛着が湧く、みたいな感じでしょうか。

さて、1994年に、オスロ国立美術館が所蔵する《叫び》が盗難に遭《あ》いました。この年ノルウェーではリレハンメル冬季オリンピックがあり、美術館の警備が手薄となる開会式の日に盗まれたのです。2人組の犯人は堂々と窓ガラスを割り美術館に侵入して、絵を盗んだのだそう。しかも、「貧弱な警備をありがとう」というメモを残して。その3カ月後、警察の懸命な捜索により、犯人は逮捕されました。そして、《叫び》も無事に取り戻されます。その際、真贋《しんがん》の決め手となったのが、画面に付着していたロウでした。さすがにロウの汚れまでは、完コピするのは無理だろうと判断されたのです。荒療治が功を奏したようで何より。

アルフォンス・ミュシャ（1860-1939）チェコ
《ジスモンダ》

“大”女優への独占インタビュー！

――まずは自己紹介をお願いいたします。

はい。**サラ・ベルナール**です。大女優をしていますわ。

――“大”って自分で言っちゃうんですね。本日はいよいよ明日1月4日よりルネサンス劇場で上演される『ジスモンダ』についてお話を伺わせてください。改めて、どんな演劇なんですか？

これは中世のギリシャを舞台にしたお話ですの。私が演じるのは、アテネの公妃ジスモンダ。国を乗っ取ろうと企《たくら》むザッカリアという男が、私の息子を殺害すべく虎《とら》に食べさせようとします。そのピンチを救ってくれるのが、平民のアルメリオですの。そこから始まる私とアルメリオの身分違いの恋！　それから……。

——あ、いや、そこまで詳細に教えていただかなくても(汗)。

あら、いけませんこと? なんだかんだあって、最終的には私はザッカリアを殺しますの。そして、晴れてアルメリオと結ばれるというハッピーエンドですの。

——何で一番大事なところをネタバレしちゃうんですか! ところで、今回は再演だそうですね。昨年秋の初演が好評で、急遽《きゅうきょ》年明けの再演が決まったとか。準備が大変そうですが。

そうなんですの。取り急ぎ、元日までにはポスターが必要ですわよね。それで、

1894年、所蔵先複数

年末ギリギリの12月26日に印刷所に発注しましたの。

——えっ？　1週間もないじゃないですか！

ええ。しかも、その日は皆さまクリスマス休暇で、印刷所にはチェコ出身の無名の**ミュシャ**ってイラストレーター1人しかいなかったんですの。私、あまり期待していなかったんですけど、できあがったポスターにとっても感動しまして！

——どの辺《へん》がお気に入りなんですか？

そうね。ビザンティン風のエキゾティックな衣裳やモザイク調のレタリングなんかが斬新ですわね。ポスターって鮮やかな色彩のものばかりでしょ？　淡い色彩がまた新鮮で。まさに**アール・ヌーヴォー（＝新しい芸術）**って感じですわ！

——今ヨーロッパで流行っている芸術運動ですよね。花や植物といった有機的なモチーフ、曲線的なデザインが特徴的な。実際もうすでにポスターが次々に盗まれてるらしいですよ。

まぁ、大変！　私も早く盗みに行かなくちゃ！

——いや、それじゃ『ジスモンダ』の告知が出来ないですって！

Column

チェコの国民的画家ミュシャ。いや、正しくはムハ（ミュシャはフランス語読み）。祖国愛が非常に強かったムハは50歳の頃に、アール・ヌーヴォーの寵児《ちょうじ》という名声を捨て、パリからチェコに戻ります。そして、プラハ市庁舎の壁画を制作。1918年にチェコスロバキアが独立すると、新国家のために紙幣や切手、国章、警察官の制服のデザインをほぼ無報酬で請《う》け負《お》いました。

「残りの人生をひたすら我が民族に捧《ささ》げる」。そんな誓いを立てたムハ渾身《こんしん》の作品が**《スラヴ叙事詩《じょじし》》**。チェコおよびスラヴ民族の苦難と栄光の歴史をモチーフにした全20点からなる連作です。小さいもので約4×5m、大きいものでは約6×8mとなる超大作。16年をかけて完成させた後に、ムハはプラハ市に寄贈しました。が、この時、チェコが独立して10年が経過。古典的な技法で描かれたムハの絵は、チェコの人々には古臭いものに映りました。しかも、デカいし、数もあるし。長らく日の目を見なかった《スラヴ叙事詩》ですが、2012年にプラハの国立美術館で一挙展示されたのを機に、評価が急上昇。今ではチェコの国宝的な扱いを受けるまでに。何がきっかけで再ブレイクするかわかりませんね。

パブロ・ピカソ（1881－1973）スペイン
《アビニョンの娘たち》

ぜんぶキュビスムのせいだ。

もうっ！　そんな風に見つめられたら、私、照れちゃいますよ♡

……え？　変わった顔だから、見てただけ？　そんな、ひどーい！　これって全部**ピカソ**さんのせいなんですよ。本当の私は、石原さとみさんと新垣結衣さんを足して2で割ったような顔なのに！　まぁ、でも、アフリカの仮面風に顔を描かれた画面右の2人と、古代イベリア彫刻風に顔を描かれた画面左の子に比べたら、人間に見えるだけよしとしないと……って、やっぱり納得できませーん！　体もカクカクしてるし！　肘《ひじ》なんて、とんがり過ぎだし！

それに、顔は正面を向いているのに、鼻は横向き。2つの視点が足されたあり得ない姿になってるんですよ。それって、セザンヌって画家もやってたじゃないか？　そうなんです。ピカソさんは、彼にインスパイアされて、この絵に多視点を取り入れたんです。しかも、この絵はこれまでの西洋美術の常識だった立体感を無視！　遠近感も完全に無視してます。そのせいで、私たちがいる空間が、よくわからないことになっていますよね。空間というか。平面？

1907年、ニューヨーク近代美術館、アメリカ

一応伝えておくと、この場所はアビニヨン。正式には、私たちが普段娼婦として働いているバルセロナの歓楽街《かんらくがい》アビニョーです。

この絵はあまりにも伝統を破壊しているんで、ピカソさんの友人たちでさえも、拒絶反応を起こしたみたいです。で、普通そこまで言われたら、やめるじゃないですか？　ところが、ピカソさんは**ジョルジュ・ブ**

ラックさんっていう画家と一緒に、この描き方をさらに突き詰めていったんですよ。

どうして、そんな面倒くさい描き方をするのかって？　え〜っと、例えば、ここにサイコロがあるとします。もし、1つの視点で描くとすると、最低1面、最高でも3面しか見えないですよね？

そこで、視点をズラしてみます。すると、さっきは見えなかった他の面が見えますよね。そうやっていろんな視点から見たものを、1枚の絵の中で組み合わせる。いうなれば、サイコロの展開図のようなものを描くわけです。そうやって描けば、モチーフの本質をよりくわしく表現できるはず！　ピカソさんらがそう信じたこの技法は、**キュビスム**と呼ばれています。

ただ、このキュビスムには致命的な問題点が……。やればやるほど、結局何を描いてるのかわかんなくなっちゃうんですって。本末転倒ですよね。ピカソさんも数年で限界を感じて、真逆の古典的で写実的な作風にシフトするんです。

あーぁ、私もその時に描いてもらいたかったな！

Column

青の時代、バラ色の時代、キュビスム、新古典主義、シュルレアリスムと、生涯にわたって作風が変遷《へんせん》し続けた画家ピカソ。作風だけでなく、付き合う女性も何度も変わりました。そんなピカソの女性にまつわるエピソードをご紹介いたしましょう。ドイツ軍がスペインの街ゲルニカに無差別爆撃を行なったというニュースに胸を痛めたピカソが、平和を訴えるべく描いた傑作《**ゲルニカ**》。その制作途中での出来事です。ピカソの制作風景を愛人だった写真家ドラ・マールが撮影していると、もう1人の愛人マリー・テレーズが訪ねてきました。鉢合わせた2人の愛人はお互いに、「アトリエから出ていけ！」と口論を始めます。一歩も譲らない2人。そこで2人は、ピカソにどちらが出ていくべきなのか尋ねました。すると、ピカソはこう言いました。「戦って決めてくれ。俺は勝ったほうと付き合う」と。そして、2人の愛人による殴り合いが始まったのだそうです。

おいおい、戦争させてどうする!? 世界の平和の前に、まずは身の回りを平和にしろよ！　なお、どちらが勝ったのか、その真相は藪《やぶ》の中ですが、この一件に関してピカソは後年、「あんな面白いことはなかった」と語っていたそうです。

アンリ・マティス《ダンスⅡ》

(1869-1954)フランス

まわるまわるよ 彼らはまわる

「ランランランラララーン♪　いやー、踊るのは楽しいなー！　ハハハハハ！あれっ？　皆、どうしたんだい？」「……ゼェゼェハァハァ……あのー、そろそろ休憩しませんか？」「何でだい？　僕はちっとも疲れてなんかいないぞ！　ハハハハ！」「あんたの体力、どうなってんだよ！　野生動物かよ」「この絵は、**フォービスム**、つまり**野獣派**の画家**マティス**氏の代表作なんだぞ！　ということは、描かれてる僕らは野獣ってことじゃないか！　ハハハハハ！」「違う違う！野獣派って、そういう意味じゃないから」「おや？　違うのかい？」「あのね。野獣派っていうのは、何よりも色彩を重視した美術運動なの。目に映る現実の色彩を捨て去って、心が感じる色彩を大事にしたっていう」「ちょっと何言ってるか

1909-10年、エルミタージュ美術館、ロシア・サンクトペテルブルク

わかんないぞ！　ハハハハハ！」「何でだよ！　あ、じゃあさ、例えば、青色を見ると、どんなイメージを抱く？」「落ち着くな！」「黄色を見ると？」「楽しい気持ちになるな！」「赤は？」「突進したくなるぞ！　ハハハハハ！」「牛かよ！　まぁ、いいや。そんな風に、色にはそれぞれイメージがあるわけ。それで、マティスら若い画家たちは、絵を描く際、自分の目じゃなくて、その時の感覚に従って色を決めることにしたの」「なるほど！ということは、僕がそう感じたなら、太陽を青く描いても、海を黄色く描い

ても、人の体を赤く描いてもイイってことか！」「そうそう」

「なんて自由なんだ！　ハハハハハ！　ん？　でも、それのどこが野獣なんだい？」「色彩を重視するから、当然色遣いはビビッドになるよね。で、コントラストも激しくなる。感情の赴《おもむ》くままに描いてるから、筆遣いも荒々しくなるよね。フォルムは二の次だから、絵は単純化する。そんなマティスらの斬新な作品が発表された展覧会の一室を訪れたある批評家が、こう評したんだよ。『まるで野獣の檻《おり》の中にいるようだ！』と」

「なるほど！　ところで、僕らはなぜダンスしているんだい？」「それはほら、ロシアの美術コレクター、セルゲイ・シチューキンが自宅の階段の踊り場を飾るために、マティスにダンスと音楽をテーマにした絵画を依頼したわけ。で、そのオーダーを受けて、マティスは人ではなく、ダンスというイメージそのものを描いたんだって」「それが僕らか！　では、もっと踊らないとな！　ハハハハハ！」

「いや、いったん休憩しませんか？」「何でだい？　僕はちっとも疲れてなんかいないぞ！　ハハハハハ！」「ループすんなよ！」

Column

もともとは法律家を目指していたマティス。パリの法律学校を卒業した後、法律事務所の事務員として約2年間働いていました。転機が訪れたのは21歳の時。マティスは、盲腸で入院することになります。その暇《ひま》つぶしにと、母が手渡したのが画材でした。それがきっかけで美術に目覚めたマティスは、画家になることを決意！　法律事務所を辞め、私立の美術学校に入学したのです。もしマティスが病気にならなかったら、美術の歴史は少し変わっていたかもしれませんね。

また、病気といえば、マティスは72歳の時に、リヨンにおいて腸の疾患《しっかん》で大手術を受けました。手術は成功し、奇跡的に回復を遂げます。ただ、病の代償《だいしょう》は大きく、体力が低下し、1日の大半をベッドで過ごすように。以前のように油彩画を描くことが困難になってしまいました。しかし、決して創作意欲は低下せず、助手がグワッシュ（不透明水彩絵の具）で彩色した紙を、マティスがハサミで切り抜き、それらを組み合わせる切り絵という新たなスタイルを確立しました。こうして生まれたのが、挿絵《さしえ》本の集大成『Jazz』です。病気になっても、ただでは転ばない。むしろプラスに変えるマティス。そういうものに私もなりたい。

アンリ・ルソー（1844-1910）フランス

《夢》

アンリ・ルソーは元恋人の夢を見るか？

ようこそ、夢の世界へ。いいえ、ディ●ニーランド的なところじゃなくってよ。ここは文字通りの「夢の世界」。あなた、とに～とかいうヤツが書いたヘンテコな本を読みながら、きっと眠ってしまったのね。

私の名は、**ヤドヴィガ**。ポーランド生まれの人妻よ。この「夢の世界」の生みの親の**ルソー**って画家が、若い頃に私のことを好きだったようなの。それで私も若かりし日の姿で登場してるってわけ。

ルソーは、ジャングルも好きだったようね。ジャングルを舞台にした作品をたくさん残しているわ。でも、実際に行ったことはないみたい。パリの植物園や動物園に何度も通ったり、ジャングルの写真や挿絵なんかを参考にしたりして、空

1910年、ニューヨーク近代美術館、アメリカ

想だけでこの世界を創《つく》りあげたの。

ところで、さっきからずっとライオンがあなたのことを見つめてるけど怖くないの？　ん？　ライオンってわからなかった？　というか、象も鳥も木も花もビミョーにおかしい気がする？まぁ、それは仕方ないわね。もともとルソーは、税関で働いてたの。絵はあくまで趣味。独学だったから下手なのよ。本格的に絵に取り組むようになったのは40歳の頃から。

まずはサロンに作品を送ったんだけど、素人が入選するほど、世の中甘くないわ。結果はもちろん落選。だから、彼はその後、毎年のように、誰でも無審査で出品できるアンデパンダン展で作品を発表し続けたの。構図も遠近法もめちゃくちゃな絵でしょ？　だから、「稚拙《ちせつ》で子どもが描いた絵のようだ」って批評家や観客たちによく笑われてたわ。それでも、ルソーは決してスタイルを崩さなかったの。そんな彼の独自の作風は、のちに若い世代の画家や批評家たちに評価されたわ。その代表格がピカソ。自分のアトリエに当時64歳のルソーを招き、彼を讃《たた》える夜会を開いたそうよ。1人の素人画家が、あの天才ピカソに認められるなんて。まさに夢のような話よね。

ちなみにね。ルソーが苦手としてたのが人物画。描くなら、顔は正面か横向き。特に足元を描くのが苦手で、人物がふわっと宙に浮かんでいるようになっちゃうの。だから、よく足元を草むらに隠してごまかしてたわね。それと、知人2人の肖像画を描いた際には、目や鼻、口、手足や身長など全身のパーツを巻尺《まきじゃく》で測って、その寸法を元に描いたそうよ。結局、描かれた2人は寸法が不格好なことになってたけどね。え？　それで、私の姿が不格好なのも納得した？　寝言は寝てから言いなさい。って、あなた寝てるのよね。

Column

特に専門的な美術教育を受けることなく、独創的な表現世界を確立した素人画家たちを一くくりにして**「素朴派」**と呼びます。素朴な絵を描くから、素朴派。ネーミングセンスも、また素朴です。その主な画家として、園芸業を営んでいた**アンドレ・ボーシャン**、サーカス団のレスラーや道路工事作業員など職を転々とした**カミーユ・ボンボワ**、農家の主婦として人生の大半を過ごし70代後半で本格的に絵筆を握ったアメリカの国民的画家アンナ・メアリー・ロバートソン・モーゼス（通称、**グランマ・モーゼス**）などがいます。

そんな素朴派を代表するのがアンリ・ルソー。ピカソに「現在、本当に優れた画家は君と僕の2人しかいないね」と言わしめた美術界の〝最強の素人〟です。

さて、ルソーは、生前に1度だけ個展が開催されています。ところが、来場者はまさかの0人。いくら当時の人々に人気がなかったとはいえ、知人や親戚の1人や2人は来るでしょう。実はその理由は、主催者が案内状に会場の住所を記載し忘れたから。今と違って、スマホもネットもない時代、問い合わせもできなければ、訂正もできなかったのでしょうね。何ともトホホなエピソードです。

サルバドール・ダリ（1904-1989）スペイン

《記憶の固執》

連続時計融解事件

「まったく。こんな現場は初めてだ。時計が割れてるっていうのはよくあるが、溶けてるってのはどういうわけだ？」「警部。聞き込みしてきました」「ご苦労さん」「溶ける時計は、相対性理論の影響だという証言もありましたが、カマンベールチーズが溶ける様子からインスパイアされたという説が有力です」「ふむ。続けて」

「はっ！　あの中央の白い謎の物体ですが、長いまつ毛を持つ怪物だそうです」

「なぜ怪物が？　謎だらけだな。このシュールな現場を作り出したヤツは一体何がしたいんだ？」「あのぉ、今『シュール』というのは、どういう意味合いで使われましたか？」「まぁ。『意味不明』的なニュアンスで使ったが」「それがです

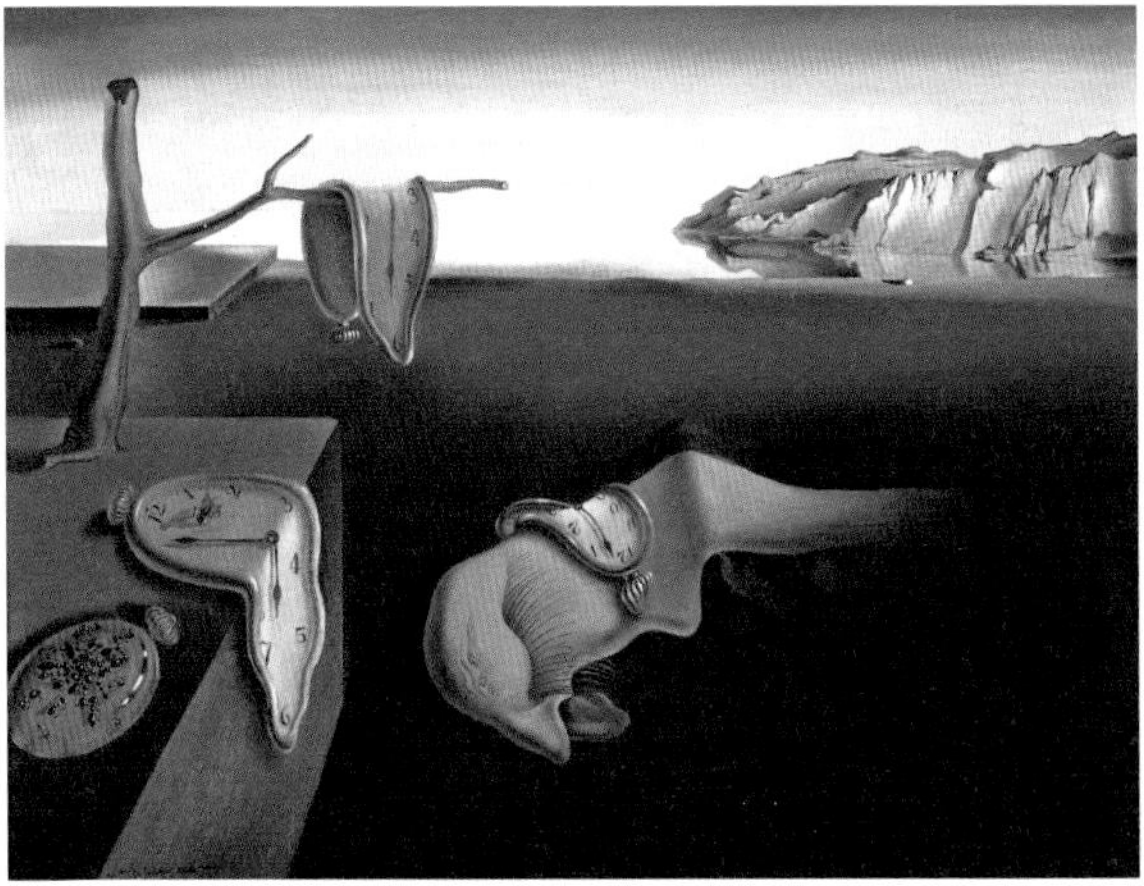

1931年、ニューヨーク近代美術館、アメリカ

ね。聞き込み中に、その言葉の元になった**シュルレアリスム**という美術用語に関する情報を得まして」「何?」「最近、フロイトという精神分析学者が『人間には**無意識**がある』ということを発表しましたよね?」「あぁ。話題になってたな」「で、一部の芸術家たちが、その無意識の世界を描こうといろいろ試みているらしいんです。それが、シュルレアリスム。『シュル』はフランス語で『とても』という意味だそうで。直訳すると**超現実主義**。現実を超越した、もはや現実的ではない世界を表現しようというわけです」

「つまり、『意味不明』って意味ではないのか。で、その無意識の世界なんてどうやって描くんだ？」「例えば、寝なかったり空腹を我慢したり」「あえて自分を限界状態に追い込むってわけか」「あとは、薬をキメた画家も」「それは反則じゃないのか」「ドイツ出身の**マックス・エルンスト**という画家は、コラージュやフロッタージュといった偶然性の強い実験的な手法を用いて制作していたようです。これら無意識に頼る描き方は、**自動筆記法**と呼ばれているようですね」「なるほど。ただ、この現場に関しては、無意識どころか隅々《すみずみ》まで意図のようなものが感じられるのだが」「おそらく、この現場は**偏執狂的《へんしゅうきょうてき》批判的方法**で作られたものかと」「偏執狂的？　何だ、それは？」「無意識の世界を表現するために、『意識を覚醒《かくせい》させたまま、妄想《もうそう》や強迫観念に身を任せ、現実を解釈する』という描き方だそうです」「わけわからん！　ところで、その証言は誰から聞いたんだ？　怪しいな。そいつがこの現場を作った張本人《ちょうほんにん》じゃないのか」「いや、普通の人でしたよ。フランスパンを頭に乗せてリーゼントだと言い張ってる、ヒゲをピンと固めた**ダリ**っていう男です」「絶対そいつだろ！」

Column

象に乗って凱旋門《がいせんもん》を訪れたり、カリフラワーをパンパンに詰め込んだロールスロイスでスピーチ会場に現われたり。鬼才エピソードに事欠かないダリ。

そんな彼が、ロンドンで国際シュルレアリスム展の講演会に登壇した時の話です。初ロンドンということで大張り切りしたダリ。潜水服《せんすいふく》に身を包み、ボルゾイ犬を2匹引き連れるという超インパクトのある格好で登場しました。潜水服といっても、スキューバダイビングで着るヤツではなく、宇宙服みたいに頑丈《がんじょう》で重装備のヤツ。その重さに耐えながら、弾丸トークを展開するものの、ヘルメット越しのため聴衆に声が届かず。「ちょっと何言ってるかわからない」状態に。そして、ダリにはさらなる悲劇が！　潜水服がうまく空気を通さなかったため、窒《ちっ》息《そく》状態に陥ってしまうのです。助けを呼ぼうにも、やはり声は届きません。ヘルメットを外してくれとジェスチャーで必死にアピールするダリ。ところが、聴衆はそういうパフォーマンスかと勘違いして大ウケ。ダリが目の前で死にかけているというのに。しばらくして、「あれ、マジじゃね？」と誰かが気づいてくれたおかげで、ダリは九死に一生を得たのだそうです。ウケ狙いは、ほどほどに。

ピエト・モンドリアン（1872－1944）オランダ

《黄、赤、青と黒のコンポジション》

美術界のためのhero

「俺はレッド！」「僕はブルー！」「私はイエロー！」「3色そろって、抽象《ちゅうしょう》戦隊モンドリアン！」

説明しよう！　抽象戦隊モンドリアンとは、抽象画の生みの親の1人、**ピエト・モンドリアン**の作品から生まれた美術界のニューヒーローなのだ！

「喰《く》らえ、ネオ・プラスティシズム！」

説明しよう！　**ネオ・プラスティシズム（新造形主義）**とは、パリでピカソらのキュビスムに影響を受けたモンドリアンが、その表現を徹底的に突き進めて生み出した理論である！　我々には、普遍的な美を感じ取る力が備わっている。我々が何か、例えば自然を目にして感動するのは、自然そのものではなく、その内側にある普遍的な美を感じ取っているからだ。つまり、その美を描くためには、余計なものをどんどん削《そ》ぎ落とす必要がある。そう、モチーフはどんどん抽象化していくのだ！　そんな抽象化に挑《いど》んでいたモンドリアンは、ある時、こんなことに気がつく。形そのものこそが美しいのだ、と。そこで彼は、個人的な感情を排し、極限までシンプルにした形と水平、垂直の直線、そして三原色を組み合わせることで、普遍的で純粋な美を表現しようとしたのだ！

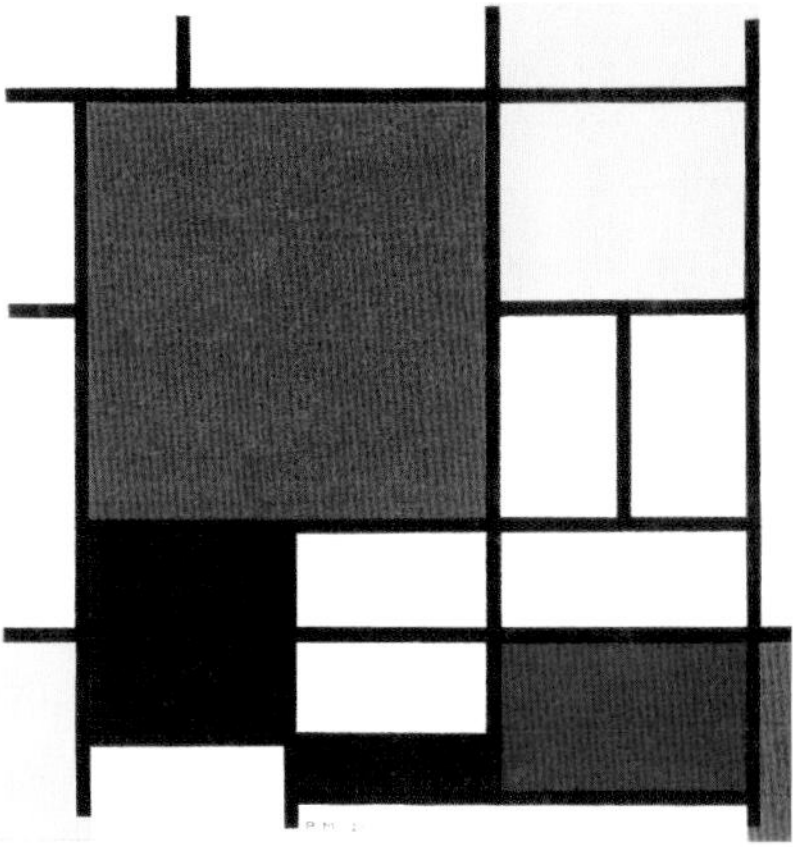
1921年、デン・ハーグ市美術館、オランダ

「デ・ステイル!!」

　またまた説明しよう！　デ・ステイルとは、モンドリアンの思想に共鳴した画家で建築家のドゥースブルフがネオ・プラスティシズムの思想を広めるために創刊した雑誌の名前、

および、立ち上げた前衛芸術家グループの名前である！

「**た、対角線なんて卑怯《ひきょう》だぞ！**」

一応、説明しよう！　水平と垂直にこだわるモンドリアンは、対角線を認めていないのである。ドゥースブルフが対角線の必要性を主張した際には、モンドリアンはデ・ステイルを脱退したのである。

「**とどめだ！　コンポジション！**」

最後に説明しよう！　モンドリアンが到達したコンポジションとは、抽象表現を究《きわ》める中で、曲線よりも直線のほうが張り詰めた力を持つことに気がついた彼の代表的な作品シリーズである！　真っ白なキャンバスを黒の水平線と垂直線で分割し、その線の交わりによってできた四角形のいくつかを、赤、青、黄色の3色で塗りつぶす！　シンプルかつインパクトのある作品だ！　彼は分割の仕方や色の配置、線の太さなどを変えて、たくさんのバリエーションのコンポジションを制作したのである！　彼の登場により、絵画の可能性は大きく広がった。ありがとう、モンドリアン！　これからも美術界の常識と戦え、モンドリアン！

Column

抽象絵画の画家といえば、もう1人忘れてはいけないのが、ロシア出身の**ワシリー・カンディンスキー**です。モンドリアンのクールな作風の抽象画が、俗《ぞく》に**〝冷たい抽象〟**と呼ばれるのに対し、カンディンスキーの音楽やエネルギーが画面から感じられるような作風の抽象画は**〝熱い抽象〟**と呼ばれています。

もともとは具象画を描いていたカンディンスキーが、抽象画に目覚めたのは偶然の出来事がきっかけ。ある日、彼がアトリエに戻ってくると、1枚の絵が目に飛び込んできました。「内から光輝く、なんて美しい絵なんだ！　誰の絵!?」そう思って、よく見てみると、それは横向きになった自分の絵だったのでした。普通の人なら、「なんだ……(照)」となるところですが。カンディンスキーは「なるほど！　モチーフがわからなくたって感動するのか！」ということに気づき、抽象表現に取り組むようになったのです。

さて、実は彼らが抽象画を発明する前に、日本には抽象画が存在していました。描いたのは、江戸時代の禅僧・**仙厓義梵**《せんがいぎぼん》。描かれているのは○△□の3つの図形のみ。おでん？　海外では、《The Universe》という題で紹介されたそうです。

アンディ・ウォーホル《マリリン》

（1928−1987）アメリカ

マリリンがいっぱい

「私はマリリン」「私もマリリン」「私こそマリリンよ」「まぁまぁ、ここは仲よく皆マリリンということで」「ちょっと！　何であんたがまとめるのよ」

「ところで、何でこんなにマリリンがいるわけ？」「それは、**ウォーホル**ってヤツのせいよ」「あぁ、あの**ポップアート**の？」「そうそう」「なるほど。だから、私たちポップな色合いなのね」「ねぇ、あなた。勘違いしてない？」「え？」

「〝ポップアート〟の〝ポップ〟ってのは、カラフルっていう意味じゃなくて〝ポピュラー〟。つまり、大衆文化のことよ」「大衆文化のアートって、どういうこと？」

「仕方ないわね。1回しか説明しないから」「OK」

「ちょっと前に、抽象画って流行ってたわよね」「確か。ヨーロッパで誕生した

1967年、富山県美術館

絵だっけ?」「そう。第二次世界大戦後、その中心地がアメリカ、特にNYに移ったの」「**ジャクソン・ポロック**や**マーク・ロスコ**って抽象画家がいたわよね」「あなたは抽象画がお好き?」「私は苦手。よくわからないから」「私も高尚《こうしょう》な感じがして苦手」「私はわりと好きだけど」

「そこで登場したのが、大衆への受け入れられやすさを狙ったポップアートよ」「具体的にはどんなアートなの?」「簡単にいえば、誰が見てもわかるモチーフを描いたってことね。**ジャスパー・ジョーンズ**って画家はアメリカの国旗やダーツの的を、**ロイ・リキテンスタイン**って画家は新聞連載されてた漫画の1コマを拡大して描いたわ」「ふーん」

「で、ウォーホルがモチーフに選んだのが、キャンベルスープの缶やコカ・コーラの瓶《びん》といった私たちの生活に馴染《なじ》み深いアイテムね」「こんな毎日見てるようなものがアートっていわれても……」「日本人で例えるなら、カップヌードルの容器とかごはんですよ！　の瓶をモチーフにするようなものかしら」「その例え、必要？」「とにかく！　そこが斬新だったわけよ。それに、大量生産と大量消費されるモチーフって、実にアメリカらしいアートでしょ？」「じゃあ、私をモチーフにしたのも」「そう。同じ理由ね。私の顔なんて、映画や雑誌でよく見かけるでしょ」

「ねぇねぇ。ウォーホルって私の顔を1枚1枚手描きしてたの？」「いいえ。**ファクトリー**って呼ばれるスタジオでシルクスクリーンで作ってたの」「制作方法も大量生産ってわけね」「しかも、若者を雇って、彼らに制作させてたの」

「かなり儲《もう》けたんじゃない？」「もちろんよ」「ポップアーティストほど素敵な商売はないわね」

Column

時は1974年。日本で開催される個展のために来日したウォーホルは、縁あって日本でもっとも歴史のある洋画商の日動画廊《にちどうがろう》を訪れました。その際に、副社長である智恵子さんをモデルに描くために、ポラロイド写真を何枚も撮って帰っていったのだとか。それから、しばらく経ったある日のこと、日動画廊にウォーホルから荷物が届きました。開けてみると、そこには智恵子さんをモチーフにしたシルクスクリーン作品3点が入っているではないですか。プレゼントなのかと思いきや、箱の中をよく見てみると、請求書も入っていたそうです。しかも、それなりのお値段の。さすが、ビジネスマンのウォーホル。ちゃっかりしています。

当時ポップアートにそれほど興味がなかった智恵子さんは、これが3点1セットの作品とは思わず、しぶしぶ3色のうちの好きな色の1点だけ購入したのだとか。それはそれでウォーホルもビックリしたことでしょう。さて、その時の作品は**《C夫人像》**という題が付けられ、現在は笠間日動美術館に所蔵されています。ちなみに、あの時に返品した残り2点はというと、紆余曲折《うよきょくせつ》あった末に、今は東京富士美術館の所蔵品となっています。日本に3点ともあってよかった。

バンクシー《風船と少女》

活動拠点：アメリカ（１９９４～）、イギリス（１９９９～）、他

バンクシーさんとの思い出

○月×日

きょう、**バンクシー**さんがわたしのことをロンドンのかべにかいてくれました。ただしくは、スプレーをふきかけてくれました。**キース・ヘリング**さんのような昔のグラフィティアーティストとちがって、バンクシーさんは**ステンシル**をつかいます。そのほうが、早くしあげられるので、けいさつにつかまらないからです。かんせいまであっという間だったので、バンクシーさんがどんな人なのか、ぜんぜんわかりませんでした。かおを見てみたかったです。バンクシーさんはわたしのことを気にいっているみたいで、ほかのかべにもわたしをかいています。どのわたしも、ハートのかたちをしたふうせんとセットでかかれています。このふう

せんは、きぼうのしょうちょうなのだそうです。つぎはぜったいに手をはなさないようにしたいです。

あと、バンクシーさんは、よくネズミもかいています。ネズミはバンクシーさんじしんをあらわしていると言う人もいます。もしかしたら、バンクシーさんはネズミみたいなかおなのかもしれません。

撮影・2004年、イギリス・ロンドン

△月☆日
バンクシーさんがかべにかいてくれたわたしの絵は、その後けされてしまいました。やっぱり、かべに落《らく》がきをするのは、よくないなと思いました。

でも、こんかいはスプレーと絵のぐをつかって、カンバスにかいてもらえました。これでもう、けされるしんぱいはありません。ロンドンのまちなかでえをかいていたころにくらべて、さいきんのバンクシーさんは、すごくいそがしそうです。びじゅつかんにかってにじぶんのさくひんをてんじしたり、アメリカでてんらんかいをしたり、えいがをとったりもしています。ブリストルのてんらんかいは、とっても人気で、さいだい7じかんまちだったそうです。

※月◎日

カンバスにかかれたわたしの絵がオークションにしゅっぴんされることになりました。大人気のバンクシーさんなので、せかい中の人がわたしにちゅうもくしていて、とってもはずかしかったです。どんどんねだんが上がって、さいしゅうてきには日本円にして約1おく5千万円でらくさつされました。と、つぎのしゅんかん、わたしの絵がスルスルとおちて、がくぶちの中にしこんであったシュレッダーで、わたしはビリビリになってしまいました。きえるよりショックでした。でも、きぼうのしょうちょうのふうせんはぶじだったのでよかったです。

Column

2019年、イギリスのある雑誌が「現代のイギリスで、歴史上もっとも人気のあるアーティストは誰か」という調査を行なったところ、ダ・ヴィンチやゴッホなどの巨匠たちを抑えて、バンクシーが堂々1位に輝きました。その人気の秘訣は、やはり神出鬼没さにあるのでしょう。大英博物館に勝手に「ショッピングカートを押す原始人」を描いた壁画を展示したり（3日間気づかれなかったそう！）、〝夢の国〟デ●ズニーランドとは真逆の〝憂鬱《ゆううつ》の国〟ディズマランドという悪夢のようなテーマパークを期間限定でオープンさせたり（5週間で約15万人が来場！）、テレビアニメ『ザ・シンプソンズ』のオープニングを手掛けたり。ストリートにとどまらず、映画やテレビなどの映像の世界や、SNSなどのネットの世界でも、バンクシーは作品を発表しています。それも前触《まえぶ》れなく。

これからも正体を隠したまま、世間をアッと言わせ続けるのか。それとも、正体を公表するのか。はたまた、公表せずにいきなりフッと消えてしまうのか。それは誰にもわかりません。次にバンクシーが現われるのはどこなのでしょう。もしかしたら、この本を書いている僕がバンクシーということも。いや、嘘《うそ》です。

とに〜のモーソウ劇場

迷探偵とに〜の事件簿
誰が殴ったアルチンボルド

司書さん、法律家さん、お集まりいただきありがとうございます。昨夜、奇妙な絵画を数多く発表している宮廷画家のアルチンボルド氏のアトリエから絵画が盗まれました。あなたたちはその容疑者です。アトリエの出入り口にはすべて鍵がかかっていました。すなわち密室。一見すると、誰にも犯行は不可能なようですが、司書のアンタなら犯行は可能なはず。なぜなら、アンタの目は鍵。実は、その鍵がアトリエの鍵

容疑者❶／司書

容疑者❷／法律家

……じゃない⁉ それは、申し訳ありません。

ということは、犯人は法律家のアンタだ！

えっ、俺の姿をよく見てみろ？ 手が描かれていない？ 確かに、手がなければ犯行は不可能ですね。てっきり怪しい顔だから犯人かと。

じゃあ、一体、誰が犯人なんだ？ 密室から絵画を盗むだなんて、逆立ちしたって無理……あっ、そうか！ 謎はすべて解けた！ 密室から犯人は消えてなかった。むしろ犯人はずっと密室の中にいたのか。現場に残されていた野菜の入ったたらいを逆さまにすると……そう、犯人は庭師のお前だ！

右頁右：アルチンボルド《司書》、1566年頃、スコークロステル城、スウェーデン
右頁左：アルチンボルド《法律家》、1566年、スウェーデン国立美術館
左頁：アルチンボルド《庭師》、1590年、クレモナ市立美術館、イタリア

現場の遺留品

一見、さまざまな野菜が入ったたらいに見えるが、逆さまにすると……

2

日本絵画たちのホンネ

コケコッコー！
世の中にボクほど幸せな鶏はいないんじゃないかな？
だって、あの若冲さんに
絵のモデルにしてもらったんだから！

伊藤若冲《動植綵絵》

鳥羽僧正覚猷?（1053-1140）《鳥獣人物戯画》

Qウサギとカエル、勝ったのはどっち？

「ねぇねぇ。カエル君、勝負しようよ」「ウサギ君は本当に勝負事が好きだよね。この前は弓で対決したし、猿を一緒に追いかけたこともあったね。あと、相撲《すもう》勝負も。僕の圧勝だったけどね」「耳を噛むなんて反則だよね」「まぁまぁ。僕らカエルは下あごには歯が生えてないし。体格差もあるんだし、それくらい勘弁《かんべん》してよ」「それもそっか」

「で、今日は何で勝負するの？」「《鳥獣人物戯画《ちょうじゅうじんぶつぎが》》に関するクイズ勝負はどう？」「面白そうだね」「じゃあ、先に俺がクイズを出すね。問題。《鳥獣人物戯画》は全部で何巻あるでしょう？」「そんなの簡単さ。まず、僕らが登場する**甲《こう》巻《かん》**でしょ。牛や馬、犬といった身近な動物や、獅子や麒麟《きりん》、龍といった日本には

甲巻 部分、平安時代後期、高山寺、京都府

いない動物や架空の生き物がたくさん登場する**乙巻**《おつかん》。前半ではいろんな遊びをする人々が描かれ、後半では僕や猿たちが描かれた**丙巻**《へいかん》。この丙巻には、ウサギ君はほとんど登場してないよね。それから、動物が一切登場しない**丁巻**《ていかん》。答えは4巻だね」

「正解！　くわしいなぁ」

「これくらい余裕だよ。じゃあ、今度は僕の番だね。問題。《鳥獣人物戯画》もそうなんだけど、色を使わないで墨の線だけで描かれた絵のことを何と言うでしょう？」

「えーと。水墨画？」「水墨画は墨を塗ったり、ぼかしたりするから違うよ。僕らは黒い線だけで描かれてるでしょ？」「……黒いつながりのある画?」「何それ? 正解は、**白描画**《はくびょうが》」「黒で描くのに、白描画って変なの。よし、今度は難問だよ。デデン! 弓の対決や相撲のシーンにも使われている……」「**異時**《いじ》**同図**《どうず》**法!**」「早いよ!」「異なる時間を一つの画面の中に描く方法のことだよね。じゃあ、問題。《鳥獣人物戯画》の作者は誰でしょう?」「これは知ってるさ。**鳥羽**《とば》**僧正**《そうじょう》 **覚猷**《かくゆう》だよね」「ブー。鳥羽僧正覚猷の作だと伝えられてきたけど、本当のところは誰が描いたかよくわかってないんだ。4巻とも違う時期に描かれているしね」「そんなのクイズとして成立してないぞ! ズルいよ!」「ごめんごめん。では、問題。甲巻に、僕が本尊の仏に扮《ふん》している場面があるんだけど、仏とカエルの意外な共通点は何でしょう?」「表面がツルツルしてる?」「それもあるけど、実は仏の手にはカエルと同じく水かきのようなものがあるんだよ」「えっ、そうなんだ! ちぇっ、また俺の負けか。よーし、こうなったら今度はカメ君と勝負してこよう!」「ウサギ君は本当に勝負事が好きだなぁ」「かけっこ対決だ」「たぶん負けると思うよ」

Column

《源氏物語絵巻》《伴大納言絵巻《ばんだいなごん》》《信貴山縁起《しぎさんえんぎ》》と並んで、〝日本の四大絵巻〟に数えられる《鳥獣人物戯画》(いずれも国宝です)。その大きな特徴は、テキスト(詞書《ことばがき》)が一切ないこと。そのため、作品のテーマや意図が何なのかよくわかっていません。ただ一つ確実なのは、《鳥獣人物戯画》が今も昔も多くの人々の心を摑んでいるという事実。2014年に京都国立博物館で展示された際には約150分待ちを、その翌年に東京国立博物館で展示された際には約200分待ちを経験しました。皆、《鳥獣人物戯画》が好きなんだなぁ。

ところで、《鳥獣人物戯画》には所蔵元の「高山寺《こうさんじ》」の印がやたらと押されています。その理由は、絵の一部が盗まれるのを防ぐため。絵巻は紙を糊《のり》で何枚も貼り継いだ料紙《りょうし》に描かれています。ということは、糊をペリペリはがせば、絵を抜き取ることも可能というわけです。紙と紙を継いだ部分に印を押しておけば、散逸《さんいつ》も防げるし、つながりもわかりやすく、一石二鳥ですね。なお、印を押す前に流出したと思われる《鳥獣人物戯画》の一部(=断簡《だんかん》)が数点ほど確認されています。ラーメン店から漫画を1巻だけ盗むような輩《やから》が昔からいたのかも。

雪舟（1420-1502または1506）

《秋冬山水図　冬》

色彩を持たない山水図と、彼の留学の話

静かだ。人の声はもちろん、鳥の鳴き声だって聞こえやしない。まるで世界に俺しか生物が存在していないようだ。

俺は今、凍《い》てつく寒さの中、雪道を歩いている。さっきまで、舟に乗っていたというのに。俺が向かう先は、あの楼閣《ろうかく》かもしれないし、あるいは、そうでないかもしれない。

雪と舟で思い出したが、この絵を描いたのは**雪舟**《せっしゅう》という男だ。日本独自の**水墨画**を完成させたことで、〝画聖〟と呼ばれている。彼の人生が順風満帆だったかといえば、まったくそんなことはない。備中国《びっちゅうのくに》（現在の岡山県）に生まれた雪舟は、20歳の頃、絵の才能を見出され京都に上った。そこで足利幕府の御用絵師《ごようえし》

だった相国寺《しょうこくじ》の画僧・**周文**《しゅうぶん》に水墨画を学ぶ。ところが、当時好まれていた繊細な画風に、荒っぽい画風の雪舟はどうしても馴染めなかったようだ。35歳の頃には、西国一の守護大名だった大内氏の庇護《ひご》を受ける形で、京都から周防《すおう》へと移転した。いわゆる、都落ちだ。もしかしたら、そのまま雪舟の人生はフェードアウトしていたかもしれない。だけど、人生ってヤツは何が起こるかわからない。48歳になった雪舟に、彼を庇護していた大内氏はこう命じた。「君は遣《けん》明船《みんせん》に乗って、中国に渡らなくてはならない」。それで、雪舟は中国へと赴いた。滞在中の2年間は、中国の各地を巡っては、名勝

15世紀末-16世紀初、東京国立博物館

や本場の水墨画に触れた。何よりも彼にとって幸運だったのは、当時中国で流行していた**浙派**《せっぱ》の絵を直接見たことだ。その荒々しい筆遣いを目の当たりにして、自分のスタイルに対する自信を深めた。彼は弟子にこんな言葉を残している。

「中国の画壇には、僕が見るべきものはないね」

帰国後の雪舟の活躍は、説明するまでもないだろう。作風はより大胆になった。この絵なんて、大胆すぎるくらいに大胆だ。手前の木の根元にあるボソボソと置かれた墨の塊《かたまり》とか、楼閣のすぐ後ろにある山なんて不自然極まりない。何より目をひくのは、画面中央のやや折れ曲がった垂直線だろう。この線は一体何を表わしているのか。雷？　枯れ木？　オーロラ？　やれやれ。これは、オーバーハングする断崖《だんがい》を強調した輪郭線だ。よく見れば、おかしなところばかりなのに、そうは感じさせない。むしろ、安定感すら感じさせる。それが雪舟のスゴさだ。

もし君がこの絵を鑑賞する機会があれば、こんな風に見てほしい。描かれた人物、つまり俺の視点に入り込み眺めるという方法だ。没入すれば、よりこの世界を味わうことができる。ただし、ここは冷え込んでいるから暖かい格好で、だ。

Column

1956年、スウェーデンで開催された世界平和会議において、モーツァルトやドストエフスキーら、世界の文化に貢献した10人の人物が選ばれました。画家で選ばれたのは、たった2人。レンブラント（42ページ）と雪舟でした。これを受け、ルーマニアと旧ソ連は「世界十大文化人」をモチーフに切手を発行。雪舟は外国の切手に取り上げられた日本人として、先陣を切った存在だったのです。

さて、切手に使われたのは、雪舟71歳の自画像。その頭には、烏紗帽《うさぼう》を被っています。烏紗帽とは、当時の中国の僧侶が被っていた帽子。つまり、この帽子を描き入れることで、自分が中国帰りであることをさりげなくアピールしているわけです。また、中国で禅宗の五山にも数えられる天童山景徳寺《てんどうさんけいとくじ》を訪れた雪舟。そこで、「第一座」という首席クラスの住職の資格をもらいました。そのことがよほど嬉しかったのか、自身の絵にたびたび「四明天山第一座」と署名しています。ちなみに、アピールといえば、国宝**《松林図屏風》**《しょうりんずびょうぶ》で有名な**長谷川等伯**《はせがわとうはく》は、晩年にちゃっかり「雪舟五代」を名乗っています。「お笑い第七世代」くらい名乗ったもの勝ち感があります。

狩野永徳（1543－1590）《唐獅子図屏風》

唐獅子のガイドは僕にお任せ

皆さーん、あちらをご覧ください！　野生の唐獅子《からじし》がいますよ！　唐獅子は、アフリカライオンじゃなくて、インドライオンがモデルだとされています。それも、仏陀《ぶつだ》の一族を守護するインドライオン。噂《うわさ》では、遠い祖先はスフィンクスだったようですよ。それがシルクロードを通じて、中国で唐獅子になって、さらに日本に伝わって狛犬《こまいぬ》になったそうです。何だかサイズがだんだん小さくなってますよねー。それはそうと、オスの唐獅子がメスに向かって一生懸命話しかけてますね。なんて言ってるか気になりますか？　唐獅子の言葉がわかる僕にお任せください！

「ねぇねぇ。俺たちの結婚式のウェルカムボードだけどさ。今、都でノリに乗っ

16世紀、宮内庁三の丸尚蔵館、東京都

てる**狩《か》野《のう》永《えい》徳《とく》**に描いてもらわない？　**狩野派**の絵師の。狩野派、知らない？　**狩野正信《まさのぶ》**を祖とする。まぁ、室町幕府の御用絵師だった正信もスゴいけどさ。狩野派を一大ブランドにおし上げたのは、その息子で永徳の祖父にあたる**元信《もとのぶ》**なんだよね。

　ほら、それまでって中国の絵が人気だったじゃん。だから絵師には『馬《ば》遠《えん》風に描いて』とか『牧谿《もっけい》っぽく』とか、そんな感じでオーダーが入るわけ。でも、〝それじゃアバウトすぎね？　しかも、いっぱい種類があるし〟ってことで、元信は中国の絵の様式を徹底的に研究してさ。書道の『楷《かい》・行《ぎょう》・草《そう》』になぞらえて、3パターンに整理したんだよ。細密な描写と硬い描線で描く真体《しんたい》でしょ。もっとも形を崩した草体《そうたい》でしょ？　それから、その中間にあたる行体《ぎょうたい》。これなら注文もしやすいし、何より弟子たちも覚えやすいよね。分業も捗《はかど》るし。マニュアルみたいなもんだね。あとさ、狩野派には独自の粉本《ふんぽん》、いわゆる絵のお手本があるらしいよ。弟子になったら、まずはその粉本の模写を徹底的にやらされるんだって。このシステムを確立したおかげで、狩野派は権力者やお寺からバンバン注文を受けてるからね。永徳なんて、あの織田信長直々《じきじき》のオファーで安土城の障壁画《しょうへきが》を任されてたし。で、どんな風に描いてもらう？　やっぱり永徳が得意とする大画《たいが》様式かなぁ。大きな画面にモチーフを大きくドーンと描いて、あとは余白。もしくは金で塗りつぶす感じの。ねぇ、どう思う？」

だそうです。いやぁ、よく喋《しゃべ》るオスですね。それに対してメスの唐獅子はこう答えてますよ。

「さっきから何なの？　私、彼氏いるんですけど」

あ、カップルでなく、ナンパだったんですね。去り際、メスはこう言ってました。「ごきげんよう」と。ライオンだけに。

Column

粉本という独自のマニュアルによって、約400年もの間、日本画壇のトップに君臨《くんりん》し続けた狩野派。永徳以降も優れた絵師を多数輩出しています。

まずは、永徳の孫で、幼い頃から天才少年ともてはやされていた**狩野探幽《たんゆう》**。わずか13歳で将軍徳川秀忠の前で絵を披露し、「永徳の再来」と賞賛され、16歳で江戸幕府の御用絵師に取り立てられました。なお、そんな探幽の弟、**尚信《なおのぶ》**と**安信《やすのぶ》**ものちに御用絵師に。この3兄弟が、幕末まで続く江戸狩野の礎を築いたのです。

さて、江戸の狩野一門に対し、京都にいたのが、永徳の一番弟子、**山楽《さんらく》**です。その娘婿《むすめむこ》となった京狩野2代目の**山雪《さんせつ》**は、他の狩野派の絵師とは一線も二線も画す個性的な作品を数多く残し、**奇想の画家**として近年人気が急上昇しています。

そんなスター集団・狩野派の中で、何ともかわいそうな存在なのが、永徳の長男にあたる**光信《みつのぶ》**。通称、右京《うきょう》(古《こ》右京)。近年はその繊細優美な画風の再評価が高まっているそうですが、当時の好みには合わず、人気は今一つ。江戸の儒学者・林羅山《はやしらざん》には「歴代狩野派の中で光信1人が拙《つたな》い」とディスられる始末。ついたあだ名は〝下手右京〟。あぁ、偉大な父を持ってしまったばかりに。

俵屋宗達（？～1640頃）

《風神雷神図屏風》

好感度No.1（？）の神々

「どーも風神雷神《ふうじんらいじん》です。よろしくお願いします」「名前だけでも覚えて帰ってください」

「まぁ、世の中ね、興奮することいっぱいありますけども。一番興奮するのはインタビューを受けてる時だね」「間違いないね」「うん」「早速インタビューを始めさせていただきます」「どうぞ」「まずは作品名を教えてください」「《風神雷神図屏風》だよ」「え？　フォーリン・ライジング屏風？」「言ってねーよ！　何だよそのバンド名みたいなのは？」「ドラマーですよね？」「これ、ドラムじゃねーよ！　連鼓《れんこ》な。これを叩いて雷を起こすんだよ」「ちなみに、どの位置の太鼓が叩きづらいですか？」「いつまで連鼓の話してんだよ！　絵について質問しろ

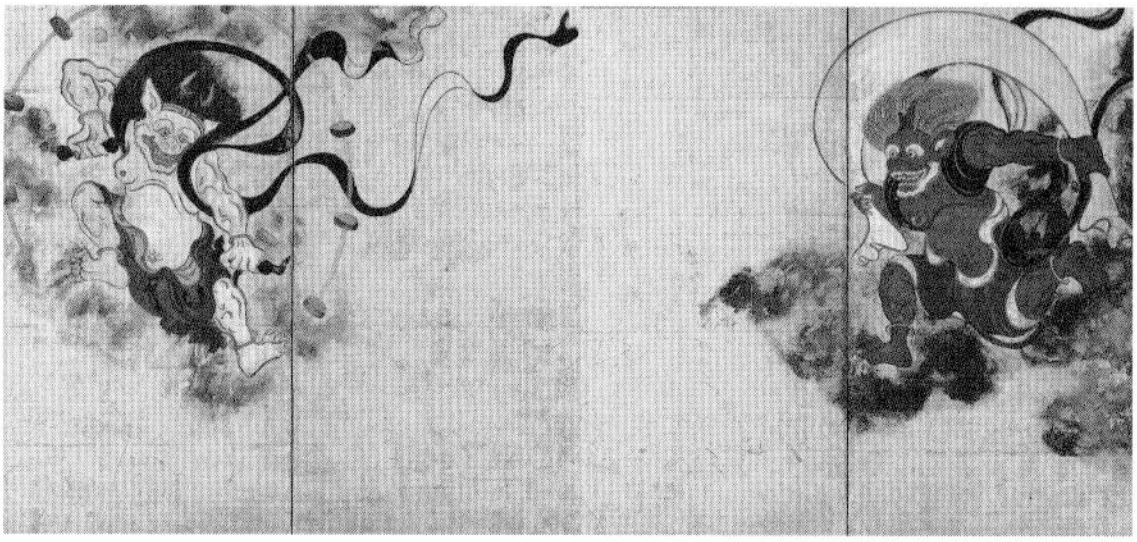

17世紀、建仁寺、京都府

よ！」

「この絵を描いたのは、俵屋何達《たわらやなにたつ》ですか？」「宗《そう》達《たつ》だよ！　何でそこだけわかんねぇんだよ！」

「その宗達って絵師はどんな人物だったんですか？」「それが謎が多くて、生没年や前半生はほとんどわかってないんだわ。『俵屋』ってのはお店の名前で。そのお店では、屏風絵や料紙の下絵なんかを制作してたみたいだな。特に人気だったのは、扇絵《おうぎえ》だったって」「扇？」「お前、扇も知らねえのかよ。あおいで風を起こす道具だよ」「スゴイ！　風を起こせる道具なんてあるんですね！」

「いや、お前が持ってるその袋のほうがすげぇだろ！」

「続いて、宗達が祖とされる何とか派について教えてもらっていいですか？」「**琳派**《りんぱ》な。宗達が活躍した百年後に、そのシンプルかつ大胆な構図の絵に影響を受けた**尾形光琳**《おがたこうりん》って絵師が、宗達のスタイルを取り入れ、自分流にアレンジして発展させたんだ。で、さらにその百年後に、**酒井抱**《さかいほう》**一**《いっ》や**鈴木**《すずき》**其**《き》**一**《いっ》って絵師がまた発展させる。それらを一まとめにして、のちの人が光琳の『琳』の字を取って琳派って名付けたわけ」「なるほど。皆長生きだったんですね」「違ぇよ！　狩野派みたいに直接教えを受けたわけじゃねぇの。作品を通じて、リスペクトしてたんだよ」

「では、最後に、宗達が編み出して、その後キンパ（※）の絵師が引き継《つ》いだ味噌煮込みについて教えてください」「琳派の**たらし込み**な！　どっちもうまそうじゃねぇか。たらし込みってのは、この雲の表現に使われてて、色を塗って乾かないうちに他の色をたらして、滲《にじ》みの効果を生かす技法だよ」「ちょっと何言ってるかわかんない」「何でわかんねぇんだよ！　てか、お前さっきから話聞く気ないだろ」「どこ吹く風なんで」「もういいぜ！　どうもありがとうございました」

※韓国風のり巻き

Column

琳派というワードが定着したのは意外にも最近のこと。１９７２年に東京国立博物館で開催された特別展『琳派』がきっかけだったそうです。それまでは、「尾形流」「光悦《こうえつ》派」「宗達光琳派」などさまざまな名称が乱立していたのだとか。

尾形光琳を兄に持つ尾形乾山《けんざん》や、酒井抱一を師に仰ぐ鈴木其一のように直接血縁関係・師弟関係がある例もなくはないですが、基本的には私淑《ししゅく》、つまり勝手にリスペクトしているだけの関係性。それゆえ、一体どの芸術家までを琳派に含めるかというのは、非常にあいまいなところです。まるで、たらし込みのように。

他に琳派に分類される主な芸術家としては、宗達を見出した元祖アートディレクター・**本阿弥《ほんあみ》光悦**、たらし込みを多用するユーモラスな作風で知られる江戸時代の絵師・**中村芳中《なかむらほうちゅう》**、２００１年にエルメスが発行する雑誌『LE MONDE D'HERMES』の表紙を飾り話題となった明治から昭和にかけての日本画家・**神《かみ》坂雪佳《さかせっか》**などがいます。そうそう。《接吻《せっぷん》》で有名なクリムトも尾形光琳の国宝《紅白梅図屏風》の影響を大きく受けています。ということは、クリムトも琳派？　琳派の絵師をリスペクトして作品を作れば、あなたも今日から琳派です。

伊藤若冲（1716-1800）《動植綵絵》

若冲のこと、チキンと話せるかな？

コケコッコー！　世の中にたくさん鶏はいるけど、ボクほど幸せな鶏はいないんじゃないかな？　だって、あの**若冲**《じゃくちゅう》さんに絵のモデルにしてもらったんだから。

若冲さんは、京都の裕福な青物問屋《あおものどんや》に生まれたんだ。いわゆる、御曹司《おんぞうし》だね。でも、絵を描くのがとっても好きで、若い頃は狩野派に学んだり、中国や尾形光琳の絵なんかを模写したりしてたんだって。でも、絵を学ぶだけじゃ、その絵を超えることができないと思ってね。それで、数十羽の鶏を庭で飼い始めたの。そのうちの1羽がボクね。

最初のうちは、正直、若冲さんのことを変な人だなァと思ってたよ。だってさ、筆も取らずに、朝から晩までひたすらボクらのことを見続けてるんだもん。しかもさ、それが1年くらい続いたの。その結果ね、**神気**《しんき》が見えるようになったんだって。神気ってのは、生き物の内側に潜《ひそ》むエナジーみたいなものかな。若冲さんが言うには、神気をとらえられれば、生き物を自在に描けるようになるんだって。神気が見えるようになって初めて、ボクらを写生するようになって、それからさらに2年くらい経った頃かな。草木や岩の神気さえも見えるようになって、何でも描けるようになったんだってさ。

《南天雄鶏図》1757頃-66年頃
宮内庁三の丸尚蔵館、東京都

そんな若冲さんが全身全霊をかけて挑んだのが《動植綵絵《どうしょくさいえ》》。完成までに10年かかった全部で30幅《ぷく》からなる花鳥画の傑作だよ。雀《すずめ》に蛙《かえる》、魚、鳳凰《ほうおう》、梅に蓮《はす》、薔薇《ばら》、紫陽花《あじさい》といったたくさんの動植物がモチーフになっているけど、一番描かれてるのはもちろんボクら鶏だよね。30幅のうち8幅に鶏は描かれてるんだ。エッヘン！

さすがお金持ちの若冲さんだけあって、この当時の最高品質の絵絹《えぎぬ》や顔料を使ってるから、今でも十分色が鮮やかでしょ。それに、若冲さんはこの絵をさらに色鮮やかに見せるために、**裏彩色**《うらざいしき》っていうテクニックを使ってるんだ。南天の実にご注目！　なんと、絹の表面だけでなく、裏側にも赤い顔料を塗ってるんだ。そうすることで、より赤い色が際立つんだ。で、赤が際立つと、ボクの黒い体も際立つってわけ。

生前は人気があった若冲さんだけど、明治時代以降は、存在が忘れられてたんだって。再ブレイクするのは平成になってから。人間が忘れてもね、ボクは若冲さんのこと忘れないんだ。

あっ、小鳥が南天の実を食べてる！　おいしそう！　ボクも食べようっと。トコトコトコ。……あれ？　何しに来たんだっけ？　てか、ボクは誰だっけ？

（注：3歩歩いて記憶をなくしてしまったようです）

Column

とにかく絵を描くことが好きで好きで仕方なく、女遊びもしなければ、酒も飲まず、絵に没頭していたという若冲。40歳になったら、家督《かとく》を弟に譲《ゆず》り、ただひたすら家にこもり、生活のためではなく、遊ぶように絵を描くようになりました。時間にもお金にも余裕があったため、若冲は他の絵師では思いつかなかったような新しい遊び方（画法）をいろいろ編み出しています。

例えば、**筋目《すじめ》描き**。《動植綵絵》のような緻密な絵とは真逆の、のんびりとしたユーモラスな水墨画も得意としていた若冲。ある日、滲みやすい画仙紙《がせんし》という紙に、墨をチョンチョンと乗せると、隣接《りんせつ》した墨の面同士の境目が白く残ることに気がつきます。この特性を活かし、花びらや龍の鱗《うろこ》などを描いたのでした。

また例えば、**枡目《ますめ》描き**。まず画面の縦横約1cm間隔《かんかく》で線を引き、画面全体に枡目をビッシリ作ります。そして、その枡目一つひとつを同色の濃淡、もしくは別の2色を使って塗りつぶしていく、という途方もなく手間がかかる技法です。静岡県立美術館が所蔵する**《樹花鳥獣図屏風《じゅかちょうじゅうずびょうぶ》》**は枡目描きの作品ですが、その枡目の数は全部で11万6000個以上も確認されているそうです。

葛飾北斎（1760－1849）《冨嶽三十六景・神奈川沖浪裏》

波よ引いてくれ

《冨嶽三十六景《ふがくさんじゅうろっけい》》って、どんな浮世絵集なのかって？　そりゃ、お前アレだよ。いろんな場所から見た富士山の姿を描いてんだよ。ほら、あの、何つったたっけ？　**北斎**《ほくさい》？　いや、あいつは名前をよく変えるからな。今は為一《いいつ》を名乗ってるんだっけか？　どっちでもいいけど。70代の爺《じい》さんが描いたとは思えない斬新さと力強さのある絵だよな。この絵が江戸で売れたおかげで、こういった風景を主題にした名所絵が、美人画や役者絵と並ぶ浮世絵の一分野として確立したって噂だ……って、今質問することじゃねぇだろ！　見ろよ！　俺、今、でけぇ波に飲み込まれそうなんだよ！　遊んでねーよ！　んなわけねぇだろ！　押送り《おしおく》船《ふね》に乗ってな。房総半島から江戸に向かって、新鮮な魚を運んでる最中に、いきなり海が

19世紀、東京国立博物館

荒れたんだよ！　いや、土下座してるわけじゃねーからな！　落ちないように必死に舟にしがみついてんだよ！　あん？　海の色と富士山の色が一緒だって？　俺には見比べてる余裕なんてねぇんだよ！　どうせアレだ。**ベロ藍**《あい》が使われてんだろ！　海外から輸入されてる人工顔料の！　正しくは、プルシャンブルーだっけか。ベルリンで発見された顔料だから、俺らはベロ藍って呼んでるけど。ちなみに日本で初めてベロ藍が使われたのは若冲の《動植綵絵》（158ページ）らしいな。最近は北斎に限らず、**歌川広重**《うたがわひろしげ》とか**渓斎**《けいさい》

英泉《えいせん》とか、多くの浮世絵師がベロ藍を使ってるぜ。

はっ？　**ジャポニズム**？　何だよ、その横文字!?　えっ？　浮世絵を含めた日本美術が、西洋の芸術家に大きな影響を与えてる？　その流行のこと？　へぇ、浮世絵が海外でウケてるんだ。で、その理由を教えてほしい？　いや、だからお前、さっきから何でこの状況で平然と質問できんだよ！　理由はそうだな。浮世絵は絵師だけじゃなく、摺師《すりし》と彫師《ほりし》の腕も大事だからよ。そういう超絶的で繊細な職人技が、工芸としてウケてるんじゃねぇか？　たぶんだけど。あとは、浮世絵によく見られる大胆な構図とか、遠近法を無視した自由な感じとかが、写実的に絵を描いてきた外国の画家たちには、衝撃的なんじゃねぇの？

だいたい、こんな風に波を表現した画家なんて、これまで一人もいなかっただろ。飛沫《しぶき》は雪みたいだし。先端は鉤爪《かぎづめ》みたいになってるし。手前の波なんて、富士山みたいな形になってるし。独創的にもほどがあんだろ。何？　海外じゃ、この絵は《The Great Wave》って呼ばれて絶賛されてる？　波だけ褒めんなよ！　その波のせいで、こちとら死ぬかもしれねぇんだぞ！　なんて日だ！

Column

当時の浮世絵の価格は、お蕎麦《そば》1杯分。街の本屋（=**絵草紙屋**《えぞうしや》）で誰もが気軽に買うことができたそうです。**美人画**は現代でいうファッション誌、**役者絵**はブロマイドのようなもの。美術品というよりは、出版物に近い感じですね。

それゆえ、何よりも大事なのは、売れるかどうか。始めは墨1色で素朴だった浮世絵がどんどん色鮮やかに、洗練されたデザインになっていくその陰には、出版社（=版元）同士の熾烈《しれつ》な競争があったのです。今でも1つベストセラーが生まれると、その続編や他の出版社から似たような感じの書籍が出版されますが、それは浮世絵の世界でも同じでした。例えば、東海道の宿場町を描いた歌川広重の出世作《東海道五十三次》。保永堂《ほうえいどう》という版元から出されたこのシリーズがヒットするやいなや、多くの版元がこぞって東海道物のシリーズを出版したそうです。なお、広重自身もその後、保永堂版以外にも東海道物を手掛けています。その数、なんと約20種。一体、何匹目のドジョウを狙っているのでしょう。

ちなみに、《冨嶽三十六景》も売れ行き好調のため、のちに10点が追加され、正しくは四十六景です。僕のこの本も売れ行き次第では、続編も？

高橋由一（1828-1894）

《鮭》

「鮭」を巡るすれ違い

「お客さん、何をお探しで？」**「鮭《さけ》はあります？」**「それなら、ちょうどいい新巻《あらまき》鮭がありますよ」**「1匹まるまる？」**「半身の一部はないんですけどね」**「え？そんな中途半端な状態で売ってるんですか？」**「まぁ、完成した時からその状態なんで」**「そうなんですか。日持ちはどれくらいします？」**「余裕で100年くらいはもちますよ」**「そんなに!?」**「たまには手入れも必要ですけど。それ次第では半永久的に保存できるんじゃないですかね」**「本当ですか！　でも、さすがに100年後のものを食べたら、お腹壊《こわ》しますよね」**「お腹壊すとかじゃなくて、そもそも食べようとは思わないですよね」**「ん？　ということは、あんまり見た目はよくないんですか？」**「いやいや、めちゃくちゃおいしそうですよ！　もはや本物よりも本物ですよ」**「どういうこと？　あの、じゃあ、脂《あぶら》は乗ってます？」**「油？　それはもう全体的に使われてますよね」**「使う？」**「作者は**高橋由《ゆ》一《いち》**さんって方なんですけどね。もともと、この方は武士の生まれだったんです。でも、どうしてもこっち（＝美術）の世界に進みたかったらしくて。それで剣術の修行をしながら、ほぼ独学で技術を得たんだそうです」**「へー、そういう方が（その新巻鮭を）作ったんですね」**

「若い頃は日本古来のもの（＝狩野派の絵画）を学んでいたようなんですが、何

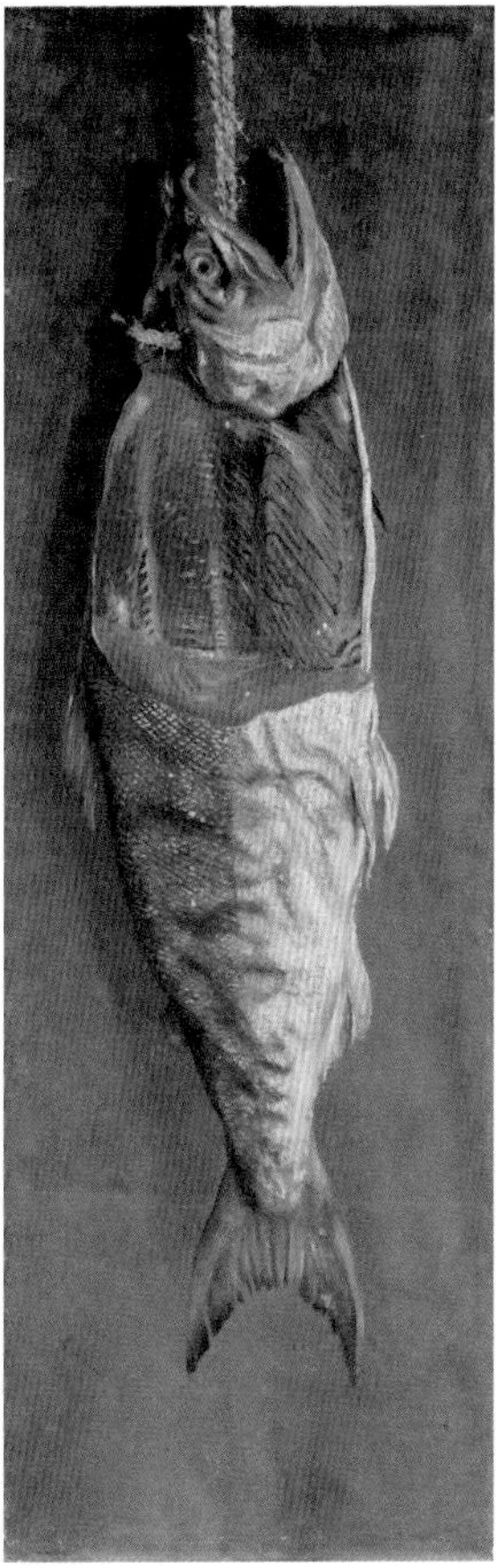

1877年頃、東京藝術大学大学美術館

でも20代の時に西洋のもの（＝西洋絵画）と出合って衝撃を受けたらしくて」**「西洋の（新巻鮭）？」**「『これからは西洋式の時代だ！』とピンと来たんでしょうね。幕府直轄《ちょっかつ》の洋学研究教育機関に入局したり、横浜に住んでいたイギリス人**チャールズ・ワーグマン**に入門したりして、西洋式の技法を独自に研究したんだそうです。だから、油の使い方も、由一さんが自己流で編み出したものなんですよ」**「そうなんですか」**「それからなんといっても由一さんがスゴいのは、西洋式のを日本に普及させるために、いろいろな活動をしたことですかね」**「へー。例えば？」**「塾を開いて、**原田直次郎**や**荒木寛畝《かんぽ》**といった多くの弟子を育てましたね」**「弟子もいるんですね」**「それから、毎月休まず展覧会を主催したでしょ。日本初の美術雑誌を刊行したでしょ。実現はしなかったですが、絵を飾る美術館っていう施設を建てる構想もしてましたね」**「あれ？　由一って人は新巻鮭の職人じゃないんですか？」**「いや、洋画家ですよ。日本初の」**「僕は鮭を買いに来たんですが」**「鮭の絵じゃなくて？」**「はい」**「魚屋はお隣です」

Column

重要文化財に指定されている高橋由一の《花魁《おいらん》》。そのモデルを務めたのは、小稲という売れっ子の花魁でした。明治の世になったとはいえ、まだまだ「花魁の絵＝浮世絵」だった時代です。目の前の光景を写実的に描く由一の油彩画を初めて目にした小稲は、完成品を前にして「わちきはこんな顔じゃありんせん！」と泣いて怒ったと伝えられています。

そんな油絵を、どうにか日本に浸透《しんとう》させたい。そう考えた由一がモチーフに選んだのが、「豆腐《とうふ》や台所道具などの日常に溢れる身近なものでした。江戸時代からお歳暮《せいぼ》に贈る品として親しまれていた新巻鮭もそのうちの1つです。しかも、由一は日本人により受け入れられやすいように、新巻鮭をあえて縦長のサイズで描きました。その理由は、掛け軸のように飾れるように（柱に掛けるためという説も）。由一のこの目論見《もくろみ》は大当たり。鮭の絵は評判を呼び、東京藝術大学が所蔵する重要文化財のもの以外に、数点の鮭を描いています。なお、この当時、日本には美術館はまだなく、由一の油彩画は見世物小屋で披露されていたそうです。浅草の花やしきに《鮭》らしき絵が展示されていたという記録も残っています。

黒田清輝（1866-1924）
《湖畔》

私が遠い目になった理由

はぁ。私、何やってるんだろう？　あの、よかったら、愚痴《ぐち》聞いてもらえませんか？　黒田清輝《くろだせいき》って知ってます？　あの洋画家の。もともとは、法律家を目指してフランスに留学したらしいんですけど、趣味で描いてた絵を画家や美術商に褒められて、それで画家に転向することを決意したっていう。で、**ラファエル・コラン**っていうフランス人の画家にたっぷりと学んで帰国してきた今話題の洋画家ですよ。

ほら、高橋由一（166ページ）なんかが描いてるこれまでの洋画って、全体的に暗くて地味な色合いじゃないですか。最近では、そういう洋画は「**脂派**《やには》」って呼ばれてるらしいですよね。それに比べたら、本場フランスで流行の最先端の印象派まで学んできた黒田さんの洋画は明るいのなんのって！「**外光派**《がいこうは》」とか、影を紫色で表現するから「**紫派**」って呼ばれてるみたいで。脂派と外光派の間で、わりと揉《も》めてるそうですね。

1897年、東京国立博物館

あ、揉めてるって言えば、黒田さんの《**朝妝**《ちょうしょう》》って絵も大変なことになってますよね。フランス留学中に描いたもので、サロンに出品して見事入選した絵なんですって。で、満を持《じ》して、その絵を京都で開催された内国勧業博覧会に出展したんです。全裸の外国の女性が鏡の前に立って髪を束《たば》ねている姿を描いた絵なんですけどね。それが「猥褻《わいせつ》だ」「風紀を乱す絵だ」って新聞記事で叩かれちゃって。そんな話題の絵は見ておかなきゃって、お客さんもたくさん集まっちゃって。いやいや、裸が猥褻ってことではないですよ。だって、浮世絵なんかにも裸の女性は描かれてますからね。ただ、あの《朝妝》には、ほら、下の毛が描かれてましたから。西洋では普通なんでしょうけど、日本人には刺激が強いですよねぇ。

当の黒田さんは、そんな騒動にも負けずに、裸体画を日本に根付かせるんだって張り切ってるみたいですけど。最近は、東京美術学校に西洋画科が新設されて、その教員に就任したから、教育のほうにも力を入れてるそうですね。

そうそう！　それで、その黒田さんに誘われて、箱根に一緒に来たんですよ。芦ノ《あしの》湖《こ》のほとりでスケッチをしてたので、何気なくその様子を覗いたんです。そしたら、「そこの石に腰をかけてみてくれ」って。で、座ったら、「よし明日からそれをするぞ」って。で、翌日から毎日ここに座らされてるんです。雨や霧の日もあって、もうかれこれ1カ月くらい。私、避暑しにきたんですけど！

はぁ。そりゃ、こんな表情にもなりますよ。遠い目にもなりますよ。

Column

この《湖畔》は、当初は《避暑》という題名で、のちに改題されました。名前を変えるといえば、モデルを務めた金子《かねこ》種子《たねこ》も、のちに黒田と結婚し、黒田照子と改名しています（なぜ名前まで？？）。

黒田自身は《湖畔》を描いた後、東京美術学校の教授に就任。そんな黒田が入学試験の課題や授業の教材として採用したのが、石膏《せっこう》像のデッサンでした。ちなみに、黒田はのちに洋画家として最初の**帝室技芸員**《ていしつぎげいいん》（現在の人間国宝のようなもの）に選ばれます。晩年近くには、貴族院議員に就任。画家として教育者として美術行政家として、日本に西洋画を根付かせたその功績から、〝日本近代洋画の父〟と呼ばれています。

さて、そんな黒田の黒歴史（？）が、**腰巻事件**。《朝妝》の一件から6年後、黒田は**《裸体婦人像》**を発表します。全裸の女性が描かれていたため、風紀を乱す絵として警察が介入。その結果、腰巻のように下半身に布を掛けた状態で展示されることになりました（そっちのが、逆にエロいような）。なお、記録では、その布をステッキで取ろうとした男性もいたのだとか。同じ男として情けないぞ。

横山大観（1868-1958）

《心神》

毎度、バカバカしい美術の話を一つ

えー、どうも富士山でございます。おいおい、「山が喋るのかい？」なんて驚いた方もいるかもしれませんがね。話すこともできるんですよ。なぜなら、あたしには火「口」がありますからね。

まぁ、それはそうと、あたしほど日本美術のモチーフになってるものはないでしょうな。狩野派の絵師や葛飾北斎なんかも描いてますからね。でもね、あたしを一番多く描いたのはやっぱり、〝富士山の画家〟こと横山大観《よこやまたいかん》でしょうな。あの日本画家第1号の。何だい？　大観の前にも、日本画家はいっぱいいるって？　あのね、日本画っていうのは、明治時代に海外から西洋画が入ってきて初めて生まれた言葉なんですよ。西洋画に対して、日本画。だからね、雪舟も伊藤若冲も

1952年、山種美術館、東京都

自分自身を日本画家とはこれっぽっちも思ってなかったわけです。

明治の中頃には、西洋風の絵画、すなわち洋画を描く画家がどんどん増えましてね。「おいおい。このまじゃ日本の伝統的な絵画は廃《すた》れちゃうじゃねぇか」って危機感を抱いたのが、思想家の**岡倉天心**《おかくらてんしん》っつう男です。この天心が尽力したおかげで、1889年に東京美術学校が開校。日本画を教える日本画科が創設されました。その第1期生の1人が、横山大観。そういう意味では、日本画家第1号と言えるわけです。

で、この天心と大観っつうのは、いわゆる師匠と弟子の関係なんですけどね。大観が東京美術学校を卒業してしばらく経ったある日、天心が大観ら弟子たちを集めたんです。「師匠。何です、話って？」「いやね。伝統を守るだけじゃなくて、新しい日本画を創造しないといけないと思ってね」「なるほど。具体的には何をすればいいんです？」「日本画で大気を描けないものかね」「師匠。バカ言っちゃいけませんよ。日本画に大事なのは線ですよ。線でどうやって大気を描くんです？」「何でもかんでも私に聞くんじゃないよ。自分で考えなさい」「へぇ。では、西洋画に倣《なら》って、輪郭線をなくし、色彩のぼかしで表現するっつうのはどうでしょう」「そいつは名案だ」てなわけで、こうして新しい日本画を生みだしたわけですが、まぁこれが当時の日本人にはまったくウケなかった。ぼんやりとした印象の絵だから、**朦朧体**《もうろうたい》だと揶揄《やゆ》されたそうでございます。

そんな苦難の時代を乗り越えて、大観はのちに国民的な日本画家に。たくさんの作品と功績を残し、日本画のね、まさに裾野《すその》を大きく広げたわけです。富士山の画家だけに。おあとがよろしいようで。

Column

89年の生涯で大観が描いた富士山の絵は、1500点とも2000点ともいわれています。その中でも特に重要な作品の一つが84歳の時に描いた《心神《しんしん》》。ずっと手元に置いておくほどお気に入りの作品でしたが、「美術館を設立するのであれば……」という条件で、古くから交流のあった山種証券（現・SMBC日興証券）創設者・山崎種二《やまざきたねじ》に購入を許したそうです。この山崎種二が1966年に創立したのが、**山種美術館**。日本初の日本画専門美術館です。大観の日本画における貢献はこんなところにもあったのですね。

ところで、富士山と同じくらい、もしかしたら、それ以上に大観が好きだったのがお酒です。大観にとってお酒は主食。ご飯は朝軽く茶碗で1膳食べるくらいで、お酒でカロリーを摂っていたそうです。特に愛飲していたのが、広島の日本酒「酔心《すいしん》」。昭和初期に、酔心の社長と大観は「酒造りも絵画も芸術だ」と意気投合。酔心の社長は、大観に一生の飲み分を約束し、代金として大観は毎年1点ずつ自分の絵を無償で贈ったそうです。ちなみに大観の脳はアルコール漬けになって東京大学医学部に保管されているそうな。どんだけアルコール好きなんだ。

上村松園（1875-1949）
《序の舞》

手紙〜拝啓　美術好きの君へ〜

一筆申し上げます。

このたびは、わたくしがモデルを務めた《序の舞》をお選びいただき、誠にありがとうございます。作品について語っていただきたいとのこと。確かにわたくしは目鼻立ちが整っており、よく女優や芸者さんに間違えられるのですが、ただの主婦でありまして。人前で話すのは苦手ゆえ、手紙にて失礼いたします。

この絵を描いたのは、わたくしの主人で日本画家の上村松篁《うえむらしょうこう》の母、上村松園《しょうえん》でございます。主人は鳥の絵を得意としておりますが、義母は天才少女と呼ばれた10代の頃から美人画を多く手掛けております。

美人画というと、一般的には艶《なま》めかしさがあるものですね。しかし、義母は女性画家として一貫して、「一点の卑俗《ひぞく》なところもなく、清澄な感じのする香高《かおりたか》い珠玉《しゅぎょく》のような絵」を目指しております。今でこそ美人画の名手としての地位を確立している義母ですが、若い頃はそれはそれは大変な苦労をしたそうです。

　最近では女性の芸術家はそう珍しくなくなりましたけれども、明治や大正の時代には、女性が社会進出するなんて、ましてや画家として活躍するなんて考えられなかったそうです。

1936年、東京藝術大学大学美術館

日本画壇は完全なる男性社会。そんな中で孤軍奮闘する義母の才能に嫉妬した兄弟子に、道具やお手本を隠されるなんてことはざらだったと聞いております。展覧会の出品作の顔に落書きされたこともあったそうです。自分らの不注意は棚に上げ、「みっともないので直してください」と職員に言われた義母は、「おそらく私に嫉妬した人の仕業《しわざ》でしょう。それなら絵ではなく私の顔に墨を塗って汚せばよいものを。そのままにしておいてください。こっそり直すなんて、虫のいいことはできません」と突っぱねたそうです。わが義母ながら、胸のすくエピソードでございます。

さて、《序の舞》でしたね。この絵は義母が61歳の時に描いたものです。義母曰《いわ》く、「この絵は、私の理想の女性の最高のもの」とのこと。この絵のためにわたくしは京都で一番上手な髪結《かみゆい》さんに文金高島田《ぶんきんたかしまだ》を結《ゆ》っていただきまして。義母の言いつけで、嫁入りの際の大振袖《ふりそで》と丸帯を身にまといました。ポーズは能の演目の1つ、『序の舞』の姿を取っております。動きがなくて楽そうとおっしゃる方もいらっしゃるようですけれども、右手の袖をご覧くださいませ。袖がクルンと返っておりますよね。モデルをする際、義母に何度も激しい動きを要求されたのです。義母は描くだけのくせに……って、乱筆をお許しください。　かしこ

Column

１９４８年に、女性として初めて文化勲章を受章した上村松園。日本における女性芸術家のパイオニアと言っても過言ではありません。ただ、松園以前に女性画家がいなかったかといえば、決してそんなことはなく。例えば、葛飾北斎の娘・**葛飾応為**《おうい》や狩野派の女性画家・**清原**《きよはら》**雪信**《ゆきのぶ》などが存在しています。また、松園と同時期には、**池田**《いけだ》**蕉園**《しょうえん》と**島**《しま》**成園**《せいえん》という女性画家がいました。拠点がそれぞれ、京都、東京、大阪で、３人とも「園」の1字が付くため**「三都**《さんと》**三園**《さんえん》**」**と呼ばれたとか。さて、女性画家という言葉を使ったことに対し、「ジェンダー的にどうなのよ？」と思われた方もいらっしゃるかもしれません。実は、若い頃の松園作品の落款《らっかん》には、「松園女史」「上邨《うえむら》氏女松園」「松園女繪」「松園女筆」と、すべてに「女」の一文字が入っているのです。むしろ女性であることに誇りを持っていたのでしょう。なので、あえて女性画家と呼びました。ちなみに、30歳を過ぎると、サインの中で「女」の1文字だけが小さくなり、50歳を過ぎたあたりからは「女」の文字が消えました。女性であることを前面に押し出す必要がなくなったということなのでしょう。

岸田劉生《麗子微笑》（1891-1929）

ひとりでモデルできるもん！

私の名前は、**岸田麗子《れいこ》**。どこにでもいる普通の8歳の女の子。チャームポイントは、つやつやしたおかっぱ頭です。てへ☆

最近のお気に入りは、この手編みの毛糸の肩掛け。色がきれいでとってもオシャレなの。好きな食べ物は、果物全般だよ。早くパパからもらったこのミカンを食べたいな♪

え、何々？　今、私が何をしてるのかって？　パパのお仕事の手伝いで、絵のモデルをしてるところだよ。パパはね、私が5歳の時からちょくちょく私の絵を描いてるの。パパは若い頃、黒田清輝さんって洋画家が主宰《しゅさい》する白馬《はくば》会《かい》洋画研究所ってところで油彩画を学んでたんだって。で、それから何年か後に、**武者小路《むしゃのこうじ》**

実篤《さねあつ》さんって人が創刊した『**白樺**《しらかば》』って雑誌に出合ってね。そこに掲載されてたゴッホさんやセザンヌさんの絵に、とっても感激したみたいなの。しばらくは、そういうタッチで風景画や静物画を描いてたようなんだけど、パパって変わり身が早くてね。今度は**アルブレヒト・デューラー**っていう北方ルネサンスの画家の絵画に感動しちゃったみたいで。その影響で、肖像画をたくさん描くようになったの。

最初は自画像ばっかり描いてたんだけど、ある時から他人の顔にも興味が湧くようになって。パパの元を訪ねてくるお友達を次々にモデルにして、いっぱい肖像画を描いてたんだって。

1921年、東京国立博物館

パパに会ったら、「絶対顔を描かれるぞ!」っていうんで、パパはお友達の皆に〝劉生《りゅうせい》の首狩り〟とか〝千人斬《ぎ》り〟とかってあだ名を付けられてたみたい。もう恥ずかしいんだから!

パパはね、最近は日本美術にも興味を持ってるの。岩佐《いわさ》又兵衛《またべえ》っていう絵師が江戸時代の初めの頃に肉筆で描いた浮世絵や風俗画なんかを観て、**「デロリ」**とした絵だって驚いてたんだ。「デロリ」ってのはパパが造った言葉で、濃厚とかしつこいとかグロテスクなのに惹《ひ》きつけられるとか、そんな感じの意味で使ってるみたい。そういえば、この前パパは《モナ・リザ》っていう絵に衝撃を受けたんだって。だから、今回の肖像画には、《モナ・リザ》の要素を取り入れてみようって張り切ってたの。どんな仕上がりになるのかな。ワクワク♪

あっ、ちょうど絵が完成したみたい! パパ、見せてね……って、何なのコレ!!! 顔が横長だし、目は細いし、手は小《ち》っちゃいし! デロリとしてて、全然かわいくないじゃん! こんな絵が発表されたら、絶対皆に不気味《ぶきみ》だって思われちゃうよぉ。えーーーん。パパのバカぁ!

Column

38歳という若さでこの世を去った岸田劉生。その死の直前、麗子が16歳になるまで劉生は娘を描き続けました。その数は油彩や水彩画をあわせ100点を超えるともいわれています。そのうち重要文化財に指定されているのは、《麗子微笑》と劉生が最初に麗子を油彩で描いた《麗子肖像（麗子五歳之像）》の2点です。

さて、父の死を機に麗子は筆を執《と》り、画家となりました。さらには舞台役者や文筆業など、マルチな才能を発揮。『父 岸田劉生』という評伝も発表しています。

マルチな才能といえば、劉生の父である**岸田吟香《ぎんこう》**も。日本で初めての本格的な和英辞書の編纂に携わり、のちに『東京日日新聞』（現・毎日新聞）の主筆を務め、台湾事変の際には、日本初の従軍記者として現地から報道をしました。また、ガラスの小瓶に入った日本初の液体目薬「精錡水《せいきすい》」を発売し、実業家として大成功を収めています。そんな日本初尽くしの吟香が、明治5年に日本人として初めて食べたとされるのが、卵かけご飯。ジャーナリストでもあった彼が熱心に広めたおかげで、トロリとした黄身がたまらない卵かけご飯という食文化が日本に根付いたのです。デロリを生んだり、トロリを生んだり。岸田家は偉大です。

とに〜のモーソウ劇場

《松林図屏風》に隠された都市伝説!?

東京国立博物館が行なった人気投票「あなたが観たい国宝は?」では見事1位を獲得した長谷川等伯の《松林図屏風》。謎の多い絵としても知られているこの国宝は、実は、松林にUFOが着陸した瞬間を描いているんだよね。

一般的には、松林に霧や靄《もや》が立ち込めた光景といわれているけど、松林がUFOの発する強い光に包まれているようにも見えるよね。とても激しい筆遣いで描かれた松の木は、着陸時の衝撃を表わしてい

るんだよね。なぜ、モノクロで描かれているのか。そこにも、ちゃんと等伯のメッセージが隠されているんだよね。絵に使われている色は、白と黒。それと、灰色。灰色は英語で、グレイ。そう。グレイタイプの宇宙人を暗示しているんだよね。さらに、すべての国宝には登録番号が割り振られています。例えば、《鳥獣人物戯画》は41、《三日月宗近》は12というように。《松林図屏風》の登録番号は51。UFOに興味がある人なら、この数字を聞いてピンときたよね？　アメリカでUFOが多数目撃されている場所の名前は、エリア51。これはもう偶然なんかじゃないよね。ちなみに、日本にも、UFOが古くから目撃されている「UFOの街」があります。それは石川県羽咋《はくい》市。この地では、江戸時代より空飛

長谷川等伯《松林図屏風》16世紀、東京国立博物館

ぶそうはちぼん（シンバルのような形をした仏具）が目撃された伝承が残っているんだよね。そんな羽咋市のほど近くにあるのが、七尾市。そう。等伯の故郷なんだよね。つまり、等伯がＵＦＯを目撃したとしても不思議ではないんだよね。

等伯は、最愛の息子が亡くなった直後にこの絵を描いたと言われています。だから、画面全体には何ともいえない憂《うれ》いのようなものが満ちているよね。それから、左隻《させき》の右上部分に注目してみてほしい。雪山が描かれているでしょ？　つまり、これは、冬の景色なんだよね。そして、この絵の最大のポイント。それは、ズバリ奥行き。墨の濃淡だけで絶妙に表現された奥行き感が、この絵が水墨画の最高傑作と称される理由なんだよね。

憂い。冬。奥行き。いい？　今僕が紹介したこの絵にまつわる3つのキーワード。その頭文字をアルファベットで順に読んでみるよ。そう、ＵＦＯとなるんだよね。やばいでしょ。

等伯がこの絵を通じて、ＵＦＯの存在を伝えようとしていたっていう話。信じるか信じないかはあなた次第です。

3

彫刻・工芸たちのホンネ

ん？　11世紀末に生まれたってことは、
要するにまぁ、じじいじゃないかって？
年寄り扱いするとは、失礼なヤツめ！

三条宗近《三日月宗近》

《ミロのヴィーナス》（作者不詳）

ヴィーナスはご機嫌ななめ

皆さま、はじめまして。愛と美の女神ヴィーナスです。私、控えめに言っても美しいので、多くの芸術作品のモデルになっています……って、あれ、このくだり前にもしたような？　そういえば、前にボッティチェリさんの絵（18ページ）を紹介しましたね。あの絵の私も美しいですが、この彫刻の私も惚《ほ》れ惚《ぼ》れするほど美しいですよね。

紀元前2世紀頃にギリシャで作られたようなのですが、実は発見されたのは1820年と、わりと最近なのです。エーゲ海に浮かぶ**ミロス島**の農民が農作業中に畑の中からバラバラになった私の像を発見したそうですよ。その時点で、すでに両腕部分はなかったみたいですね。一体、どんなポーズを取っていたのでしょうね。研究者の方々の間では、りんごを手にしているという説が有力なようです。

え？　いや、別に私はりんごが大好物というわけではないですよ。

え〜っと、話は**ペレウス**さんと**テティス**さんの結婚式にさかのぼりますね。その結婚式には、すべての神様が招待されたのですが、不和の女神**エリス**さんだけは呼ばれませんでした。

自分だけハブられたエリスさんは腹を立て、披露宴会場に黄金のりんごを投げ入れました。それも「もっとも美しい女神さん江」と書き添えて。当然、私宛てだと思いますよね。ところが、**ゼウス**さんの妻の**ヘラ**さんと戦いの女神の**アテナ**さんが自分のだと言い張りまして。お二方に「もっとも美しいのは私なのです」と何度も事実をお伝えしたのですが、美

紀元前2世紀後半、ルーブル美術館、フランス・パリ

的感覚がズレてるので納得してくれないのです。エリスさんの狙い通り、不和が起きてしまいました。

そこで、公平に第三者に決めてもらおうと、人間界に降りて、パリスという羊飼いに一番美しい女神を選ばせることにしました。ただ、あのお二方は自信がなかったのでしょうね。パリスを買収しようとしたのです。ヘラさんは自分を選べば君主の座を、アテナさんは戦いにおける勝利を与えると約束しました。私ですか？　私は買収する必要はまったくないのですが、念のために、人間界で一番の美女を与えると約束しました。一応ですよ。

それはともかくですね。選ばれたのは、もちろんこの私でした。この一件をきっかけに、私が美の女神であることが不動のものとなったのです。手にしている黄金のりんごは、その証なのです……あっ！　私、わかってしまいました！　何で両腕がなくなったのか。きっと逆恨《さかうら》みしたあのお二方の仕業ですね。今度会ったら問い詰めてやります！　腕が鳴りますね。……って、その腕は今どこに？

Column

ヴィーナスが語っていた一連のお話は、**《パリスの審判》**というタイトルで、ルーベンスやルノワールなど多くの画家によって描かれています。さて、この話には続きがあります。ヴィーナスを選んだパリスは、人間界でもっとも美しい女性**ヘレネ**を妻に迎えました。

ただ、このヘレネはスパルタ王メネラオスのお妃《きさき》。さらに、実はパリスの正体はトロイアの王子だったのです。当然、妻を奪われたメネラオスは激怒。ギリシャの王たちと連合軍を結成し、トロイアを攻め立てました。これが、**トロイの木馬**で知られるトロイア戦争です。

さて、話を《ミロのヴィーナス》に戻しまして。今なお西洋における「もっとも理想的な女性の体型」とされていますが、そのスリーサイズはどんな感じなのでしょうか。計測してみると、B121・W97・H127だったそうです。ちなみに、身長は204センチもあるので、女性の平均身長160㎝に換算してみましょう。すると、B95・W76・H101となりました。あれ？　意外とぽっちゃり系？　理想的な体型は、人それぞれですよね。

ミケランジェロ・ブオナローティ（1475–1564）イタリア

《ダビデ》

その男、全裸につき

はじめまして！　僕の名前は**ダビデ**です。僕をモデルにした美術作品はたくさんありますけれど、やっぱり〝神のごとき〟と称された**ミケランジェロ**さんが4年もかけて制作したこの大理石像がもっとも素晴らしいですよね！　ふわふわした髪の毛。均整の取れた美しい筋肉。手の甲に浮かび上がる血管。どこを取っても完璧ですよね……って、あのー、さっきから下のほうばかり見てませんか？　気のせいだったら、ごめんなさい。

何より素晴らしいのが、この完璧な**コントラポスト**ですよね！　あ、コントラポストというのは、人の身体を美しく見せるS字のポージングのことです。ルネサンスの彫刻家がよく使ってますが、古代ギリシャや古代ローマの彫刻でも使われてますよ。《ミロのヴィーナス》（190ページ）とか。

具体的にいうと、片方の足に体重をかけるポーズです。すると、肩は自然と体重をかけた側に傾きますよね。そのまま目線を下ろすと、腰は肩とは反対の方向に傾いてますよね。このポーズによって筋肉が強調され、理想的な肉体美が表現できるんです。

ところで、誰にキュンキュンしてるのかって？　いや、これは違うんです。確

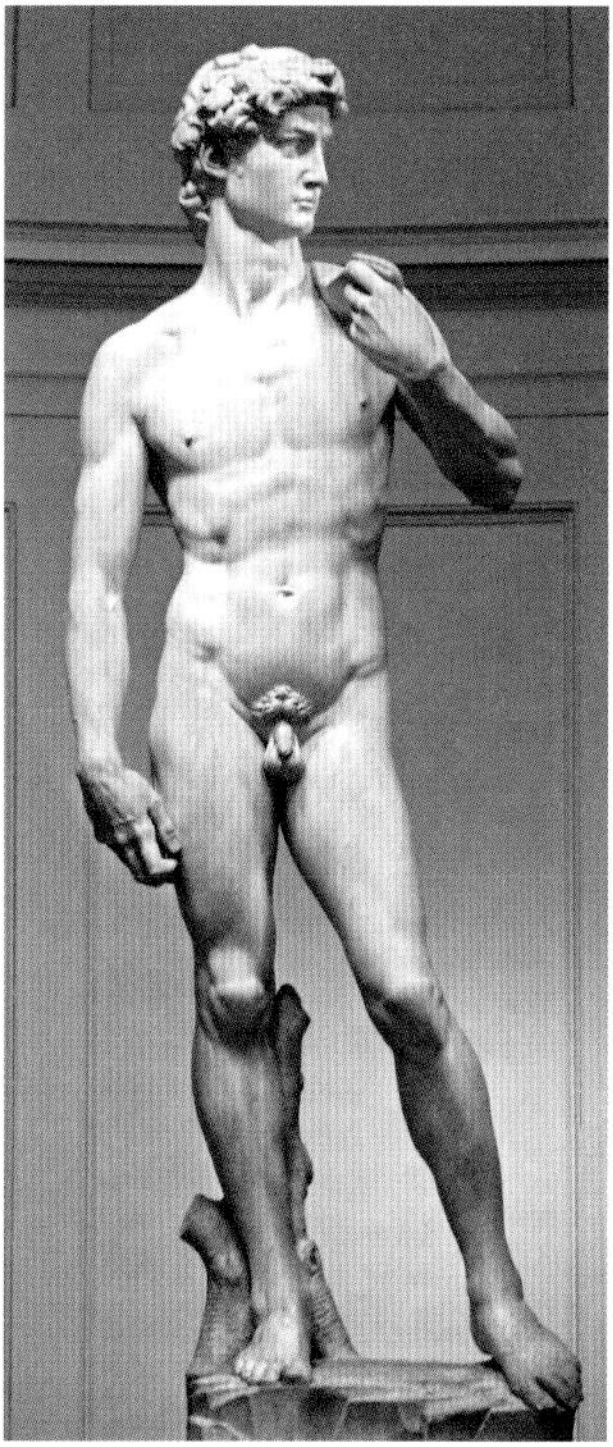
1501－04年、アカデミア美術館、イタリア・フィレンツェ

かに、瞳がハートマークになってますが、これは瞳に差し込む光を表わしているそうです。少女漫画のキラキラした瞳みたいな感じで。そもそも、恋をしてるどころか、憎き相手をにらみつけてるところなんです。

ゴリアテって知ってます？　ペリシテ人の兵士の。ペリシテ軍とイスラエル軍の戦争の時のことなんですけどね。ゴリアテが「俺とサシで勝負して、負けたほうの軍が相手軍の奴隷になるってのはどうだ？」って提案したんです。あいつ、身長3メートルもあるんで、うちの軍は皆ビビッちゃって。僕の本業は羊飼いで、その時たまたま兄ちゃんに弁当を届けに行ってただけなんですけど、あまりに誰も戦おうとしないんで、「じゃあ、僕が戦います！」って王の**サウル**様に申し出たんです。

投石器で石を投げたら一発であいつのおでこにヒット！　気を失ったところを、あいつの持ってた剣で首を斬り落としました。防具ですか？　サウル様は自分が着てた鎧《よろい》を脱いで貸してくれようとしたのですが、やっぱりこの格好のが楽なので。いやだから、そんなに下ばかりジロジロ見ないでくださいって！

Column

ロンドンのヴィクトリア&アルバート博物館が所蔵する《ダビデ》の複製彫刻のすぐそばには、ケースに納められた「イチジクの葉」の彫刻作品が展示されています。これはかつて、女性王族が来館する際、気を悪くしないように局部を隠すために使用されていたものなのだそう。

股間《こかん》の話題ばかりで恐縮ですが、ミケランジェロのもう一つの代表作で、システィーナ礼拝堂の祭壇に描かれた**《最後の審判》**には、こんなエピソードがあります。ミケランジェロの死後、法王パオロ4世の命で《最後の審判》の一部が描き換えられることになりました。その理由は「下半身を露出した男性が多すぎて、不謹慎《ふきんしん》だから」。加筆を命じられたミケランジェロの弟子**ダニエレ・ダ・ヴォルテッラ**は、局部を隠すべく、絵の上から外衣《がいい》や腰巻を描き足しました。その結果、彼についたあだ名が〝ふんどし画家〟（または〝Il Braghettone＝ズボン作り〟）。画家としても彫刻家としても、作品は残しているのに。《最後の審判》に関わってしまったがために、〝ふんどし画家〟の名を一生背負うことになった悲しすぎる芸術家ヴォルテッラ。せめて天国に旅立っていますように。

《曜変天目》（作者不詳）

静嘉堂のカリスマ国宝

世の中には、2種類の国宝しかない。俺か、俺以外か。

俺は、現在この他に3碗しかないといわれる曜変天目《ようへんてんもく》。そのうちの1つ、通称**「稲葉天目《いなばてんもく》」**だ。中国が宋という時代だった頃に、建窯《けんよう》って窯で生まれたんだ。

その後、日本にやってきて、いつの頃か徳川家の手に渡り、家光っていう将軍が乳母《うば》の春日局《かすがのつぼね》に俺を贈り、さらにその孫の稲葉正則《まさのり》のもとへ。それから、しばらく稲葉家に伝わったから、稲葉天目と呼ばれるようになった。

冴《さ》えない男と飲むシャンパンよりも、俺で飲む抹茶《まっちゃ》。

そんな全茶人が憧《あこが》れる俺だけど、昭和に入って、俺を引き抜いた三菱第4代社長の**岩崎小彌太《いわさきこやた》**は、「天下の名器を私事で使うべきでない」と遠慮して生涯俺でお茶を飲むことはなかったな。

天目茶碗とは何か？　まぁ、ざっくり言えば、中国の浙江省《せっこうしょう》にある天目山のお寺で使われていた黒い釉薬《ゆうやく》がかかった茶碗のことだ。その寺に留学していた日本の僧侶が持ち帰って、天目茶碗と呼ぶようになった。高台《こうだい》は小さめで、均整のとれたすり鉢形。口の部分には鼈口《すっぽんぐち》と呼ばれるくびれがあるのが特徴だな。一口に天目茶碗といっても、表面に銀色の油の粒が浮かんだような油滴《ゆてき》天目や、茶色や銀色の細かい縦筋が無数に見られる禾目《のぎめ》天目など、いろんな種類があるけれど。その中でもトップに格付けされているのが、俺たち曜変天目だ。室町時代に書かれた

12－13世紀頃、静嘉堂文庫美術館、東京都

将軍家のための座敷飾りマニュアル本『君台観左右帳記《くんだいかんそうちょうき》』でも、「無上《むじょう》なり」と絶賛されていたっけな。

漆黒《しっこく》で包まれたボディの内側に、瑠璃《るり》色に輝く星のような模様が無数に浮かぶ。オーロラを思わせる奇跡的な景色を持つものだけが、曜変天目と名乗ることを許される。もともと俺らは『窯変《ようへん》天目』と呼ばれていたんだけど、あまりにも俺らがオーラを放つものだから、いつからか「輝き」あるいは「光」という意味を持つ「曜」の字が当てられるようになったんだ。よく俺に目を奪われた女性たちに、「宇宙のようだ」ってよく言われるけれど。俺に言わせれば、宇宙に俺が似てるんじゃなくて、宇宙が俺に似せてきたんだよね。どうやったら、こんな神秘的な輝きが作れるのか？　ごめん。生まれた時にすでにこの姿だったから、俺にはわからない。長い間、多くの研究者や陶芸家が俺らを再現しようとチャレンジしてるらしいけど、今のところ誰も完全には成功していないようだ。

俺にまだ会ったことがない女にこれだけは言っておこう。俺のいない人生なんて、星がない夜空のようなものだ。

Column

曜変天目は、静嘉堂《せいかどう》が所蔵する稲葉天目の他に、水戸徳川家に伝わり、現在は大阪の藤田美術館が所蔵するものと、京都・大徳寺の塔頭《たっちゅう》・龍光院《りょうこういん》に伝わる通常非公開のものが現存しています（MIHO MUSEUMが所蔵する重要文化財指定のものを含める場合も）。

記録によれば、足利義政から織田信長の手に渡り、本能寺の変で焼失してしまった曜変天目もあるそうですよ。ところで、曜変天目はすべて日本にあり、中国には一碗も完品が存在していません（近年、欠けたものや破片は発見されています）。

最後に、徳川幕府3代将軍家光とその乳母、春日局のエピソードをご紹介。家光は25歳の時、天然痘で生死の境を彷徨《さまよ》います。春日局は生涯病気になっても薬を飲まない願掛《がんか》け、いわゆる薬断ちをし必死に看病しました。その甲斐《かい》あって、家光は回復。その約15年後、今度は春日局が病で倒れます。薬を飲むように勧めるも、薬断ちの誓いを頑《かたく》なに守る春日局。そこで家光は薬とともに曜変天目を贈りました。これならば薬を飲むだろうと。イケメンな行動ですね。

三条宗近（平安時代）
《三日月宗近》

「じじい」と呼ばないで

何じゃ？　もうちょい大きな声で話しかけてもらえんかのぅ。名前か。ワシは太刀銘《たちめい》三条《さんじょう》。通称、三日月宗近《みかづきむねちか》じゃ。

生みの親は、平安時代の伝説の刀工《とうこう》・**三条宗近**じゃ。ん？　11世紀の末に生まれたってことは、要するにまぁ、じじいじゃないか？　年寄り扱いするとは失礼なヤツめ！

何？　表面に、シミみたいなのがたくさんあるだろって？　失敬な！　これはシミではなく、**打除け**《うちのけ》という刃文《はもん》の一種じゃ。この打除けが、まるで夜空に浮かぶ三日月のように見えるであろう？　それゆえ、ワシは三日月宗近と呼ばれておるのじゃ。

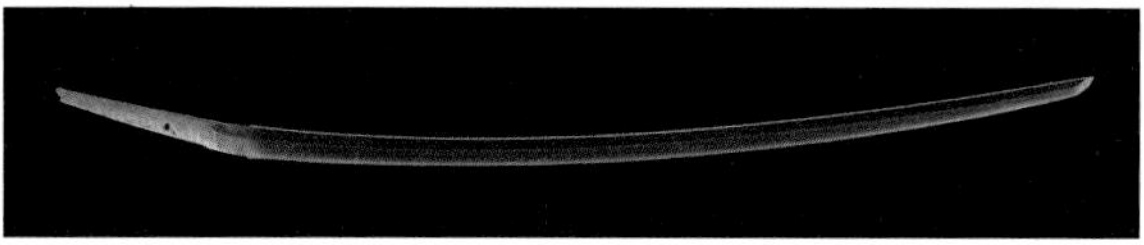

平安時代、東京国立博物館

表面に粉みたいなものも吹いてる？　これは、沸《にえ》じゃ！　刃文を構成する粒子が少し荒いものだと、光が当たった時にキラキラと輝く。その姿がまるで銀河のようだと珍重《ちんちょう》されておる。ちなみに、粒子が肉眼では見えないくらいに細かいと、霞《かすみ》がかっているように見える。それを**匂**《におい》と呼ぶのじゃ。

ともあれ、ワシほど美しい日本刀はないぞ。数ある日本刀の中でも最高傑作と呼ぶのにふさわしい**「天下五剣」**の中でももっとも美しいといわれておるからな。

他の4剣の名前？　え～っと、童子《どうじ》切《ぎり》安綱《やすつな》に、数珠《じゅず》丸《まる》恒《つね》次《つぐ》に、大典太《おおでんた》光世《みつよ》に……あとは、何だったかのぅ？　あー、そうそう。鬼丸国綱《おにまるくにつな》じゃ！　最近、固有名詞がスッと出てこなくなってきてのぅ。いや、これは、別に年寄りだからじゃないわい！　人間だって30代や40代でも、そういうことはあるはずじゃろ。

体がピシッとしてない？　曲がっとるじゃないかって？　たわ

けもの！　これは年齢のせいじゃなく、もともとじゃ！

この**「反り」**が日本刀にとって、もっとも重要なポイントなのじゃ。ワシが生まれる前の日本刀は、突き刺して戦う直刀《ちょくとう》が主流だった。ところが、平安時代になってからは、武士たちは馬に乗って戦うようになってのぅ。引いて斬ることができる反りのある刀のほうが使いやすいとシフトしていったんじゃ。

しかも、反りがあると、鞘《さや》からスッと刀が抜きやすい。それに、相手の刀を受けても、反りがあれば力が分散するじゃろ？　攻撃だけでなく、守備もできる。工学的にも優れたデザインなのじゃ。

ワシの来歴を教えてほしい？　室町時代は足利義輝《よしてる》のもとにおったな。豊臣秀吉の妻のねねから徳川秀忠に贈られたこともあったわい。昭和時代は、日本特殊鋼創業者の渡邊三郎《わたなべさぶろう》に身を寄せ、その息子（清一郎）が東京国立博物館に寄贈して今に至るのぅ。

その間の記憶？　うーん、それがあいまいなんじゃ。ボケてないわ！　おぬしとは、最後まで反りが合わなかったのぅ。

Column

２０２１年２月１日現在、国宝の件数は、**１１２５件**となっています。そのうち建造物が２２８件、美術工芸品は８９７件です。美術工芸品の中でもっとも多いジャンルが工芸品で、２５４件が国宝に指定されています。さて、その２５４件のうち、実に１１１件が日本刀。なんと国宝の約10％が日本刀なのです。

そんな数ある国宝刀の中で個人的に紹介したいのが、**へし切長谷部**《きりはせべ》。山城《やましろ》の刀工である長谷部国重《くにしげ》によって作刀され、福岡藩主黒田家に家宝として伝来した刀です。「へし切」という異名は、元の所有者だった信長のこんなエピソードが基になっています。ある日、観内《かんない》という茶坊主が、信長に反抗的な態度をとりました。怒った信長は、観内を成敗《せいばい》しようと刀を手に取ります。すると、観内は膳棚《ぜんだな》の下へ隠れました。そこで、信長は観内を棚ごと「圧《へ》し切り」（刀身を押し当てて切ること）にして殺したのだそうな。

さて、この刀も三日月宗近同様に、某ゲームでイケメン化されています。２０１６年より所蔵する福岡市博物館で公開されると、オシャレな女子たちがこの刀を一目観ようと行列をなしたそう。つくづくスゴい時代になったものです。

オーギュスト・ロダン《考える人》

（1840－1917）フランス

考えすぎちゃう人

やっほー！　みんなお元気ー？《考える人》だよー！　今日は僕の秘密について話しちゃうよー！

……う～ん、このテンションは絶対違うよな。見た目の堅いイメージを何とか払拭《ふっしょく》したいけど、我ながらだいぶ無理してる感じがするもんなぁ。やっぱり渋めのキャラがいいのかな？　よし、それでいってみよう！

拙者《せっしゃ》は皆の者に《考える人》って呼ばれているでござる。なれど、ロダン殿は拙者を生み出した際に《詩人》と名付け候《そうろう》。

ところがじゃ、ロダン殿の没後、拙者を鋳造《ちゅうぞう》したリュディエって職人が《考える人》と名付け、いつの間にかそれが定着したでござる……いや、何で武士みたいな話し方なんだよ！　渋いけど、そうじゃないだろ、俺！　ちゃんとキャラを考えよう。あまりベラベラ喋るイメージじゃないだろうし、いっそミステリアスなキャラってのはどうかな？

〝近代彫刻の父〟と呼ばれるフランスを代表する彫刻家オーギュスト・ロダン。ロダンは1880年にフランス政府から、新しく建設される予定の装飾美術館のために入口の門扉《もんぴ》の制作を依頼されました。そのテーマとしてロダンが選んだのが、ダンテの『神曲・地獄篇』に登場する地獄の門だったのです。

　まるで憑《と》りつかれたようにロダンはこの大作に挑みますが、数年後に美術館計画は白紙に。しかし、制作中止命令が届いて

1881－82年（原型）、国立西洋美術館、東京都

も、ロダンは《地獄の門》を作り続けました。そんな《地獄の門》にはたくさんの人物が存在しています。

さて、今宵《こよい》奇妙な世界に迷い込んだのは、扉の上に座っている1人の男。地獄に堕ちた者たちを見つめる審判官に過ぎなかった彼が、ロダンによって独立した彫刻作品としてデビューし、《考える人》というまったく別の人生を歩むことになるのです。もし次に、《地獄の門》の奇妙な扉が開く時、彫刻作品になるのは貴方《あなた》かもしれません……って、『世にも奇妙な物語』のタモリかよ！　確かに、髪型はちょっと似てるけど！　そうじゃないんだよなぁ。もう1回やってみよう。

吾輩《わがはい》は《考える人》。制作されてから10万飛んで約１４０年が経過したな。国立西洋美術館の前庭や京都国立博物館の敷地内に設置されておる。どちらが本物かって？　馬鹿者。どちらもオリジナルだ。ロダンの彫刻は、石膏《せっこう》の原型から12体まで制作してよいのだが、吾輩だけは特別に21体制作されたのだ。フハハハハ

……って、これじゃ地獄じゃなくて悪魔だし！

いっそのこと、普通に話そう！　え、もう俺の出番終わり？

Column

一見するとシンプルに見えますが、実は《考える人》のポーズは複雑です。右手の甲にあごを乗せ、その右肘は少し上体をひねり左ひざの上に置かれていますね。実際にやってみると、かなり体に負荷がかかります。一度、僕もチャレンジしてみたことがありますが、20分が限界でした。《考える人》の彼が筋骨隆々《きんこつりゅうりゅう》なのは、このポーズを取り続けた結果なのでしょう。なお、このポーズが便秘解消に効果があるという研究結果もあるそうですよ。

さて、そんな《考える人》を含む9点のロダン彫刻のポーズを取り入れた体操があります。その名は『ロダン体操』。静岡県民ならば知らぬものはいないという体操です。静岡県立美術館には、《考える人》や《地獄の門》を含む全32点のロダン彫刻が常設されたロダン館があります。このロダン館を活性化させるべく、静岡県出身の現代美術家・高橋唐子さんが２００３年に考案したのが『ロダン体操』です。ロダンの彫刻と同じポーズを取ることで、ロダンの彫刻により深く親しめる体操とのこと。体操を踊ることで肉体的な効果が得られるかは不明だそうですが、心理的な効果は得られるそうですよ（笑）。

ルネ・ラリック《シルフィード（風の精）あるいは羽のあるシレーヌ》

（1860‐1945）フランス

あの人は変わって変わってしまった

私の名前は、**シルフィード**。風の精霊《せいれい》です。私を作ってくれたのはアール・ヌーヴォーを代表するジュエリー作家の**ラリック**さんです。

自分で言うのもなんですが、ラリックさんのジュエリーって素敵ですよね。これまでのジュエリーは、ダイヤとかルビーとか高価な宝石が多用されていましたよね。でも、ラリックさんは、あえて安価なオパールやエナメルなどの素材を使って、デザインで勝負したのです。私も一部にダイヤは使われてますけど、羽根や裾の部分は七宝《しっぽう》で作られているのですよ。

え？　透き通るように美しい？　まぁ。そんな風に褒められると照れてしまいます。ラリックさんのジュエリーは本当に人気があって、あの大女優のサラ・ベ

1897－99年頃、箱根ラリック美術館、神奈川県

ルナールさん（106ページ）もラリックさんのファンなのですよ。これからもたくさんの素敵なジュエリーを作ってくれるはず……だったのに、何なんだよガラス工芸家って！「20世紀はガラスの時代だ！」と直感したからって、一流ジュエリー作家の地位をあっさり捨てて、ガラス工芸家に転向してんじゃねーよ！で、大成功してんじゃねーよ！捨てられたこっちの身にもなってみろ！私らは何か？オワコンかよ⁉

確かに、ガラス工芸家としての才能は認めるわ。先に人気のあった

アール・ヌーヴォーのガラス工芸家**エミール・ガレ**や**ドーム兄弟**の色鮮やかで曲線的なガラス工芸とは一線を画す、モダンでシンプルなデザインを生み出したのはさすがね。しかも、鋳型《いがた》を使って作品を量産するアイデアも大したものよ。1925年に開催されたアール・デコ博覧会のために作った15メートルの巨大なガラス製の噴水には度肝《どぎも》を抜かれたわ。私なんて4センチしかないんだから。ともあれ、あの博覧会でガラス工芸家ラリックの地位は不動のものになったわね。それに、あれを機に、曲線的で有機的なデザインのアール・ヌーヴォーに対して、直線的で幾何学的な新たな様式が**アール・デコ**って呼ばれるようになったし。

アール・デコの時代の彼はガラスで何でも作るようになったわ。花瓶に食器に照明器具に室内装飾に。何でもアートを大衆化させたいんですって。昔は私たちジュエリーのことだけを考えてくれていたというのに！

今思えば、フランソワ・コティから香水瓶に貼るラベルのデザインをオファーされたのがきっかけよね。あれが売れたから、今度はコティに香水瓶も一から作りたいと逆オファーして、それでガラス工芸の道に。うん。あの香水のせいだわ。

Column

《シルフィード》が〝看板娘〟を務める**箱根ラリック美術館**には、68歳のラリックが内装を手掛けた**オリエント急行**があります。2001年に現役を引退し、チューリヒの倉庫で眠っていた車両を、当時の箱根ラリック美術館のオーナーが購入したとのこと。さて、何より大変だったのはその運搬だったそう。まずオリエント急行は線路を通って、チューリヒからロッテルダムへ。コンテナ船にはクレーンを使って積み込みます。その後、2カ月かけて、オリエント急行はスエズ運河を渡り、インド洋を経由し、横浜へと到着。横浜の倉庫では、長年の間に溜まった車体の汚れが、学芸員や業者によって徹底的に清掃されました。

かくして、美しく生まれ変わったオリエント急行は、横浜から再び海路で沼津港へ。そして、沼津から箱根までは陸路で輸送します。深夜12時にスタートして、美術館に無事に到着したのはその8時間後だったそう。道中お疲れさまでした。

さて、現在、このオリエント急行は、予約制のカフェ「ル・トラン」として利用されています。ラリックがデザインしたガラスパネルやランプシェードを眺めながらティーセットを楽しめる美術館は、おそらく世界でもここだけです。

マルセル・デュシャン（1887-1968）フランス

《泉》

20世紀最大のアート作品の自虐

便器です。男性用の小便器として生まれてきたのに、一度も用を足してもらったことがないとです。便器です。90度寝かせた状態で美術館に展示されているとです。便器です。美術品デビューしたのは、1917年のニューヨークでのとある展覧会でした。出品料さえ払えば誰でも出品できる展覧会だったのに、実行委員たちに「これはただの便器だ」と出品を拒否されたとです。

便器です。作者はその実行委員の1人だった**デュシャン**で、それがバレないように偽名で**「R. MUTT」**というサインを書き込んだとです。彼は展覧会が終わった後に、仲間たちと発行した雑誌に展示拒否された作品として俺のことを掲載しました。どんな羞恥《しゅうち》プレイですか！

便器です。2004年にイギリスで行なわれた専門家500人による投票で、**『アート界に最も影響を与えた20世紀のアート作品』**の第1位に選ばれたとです。

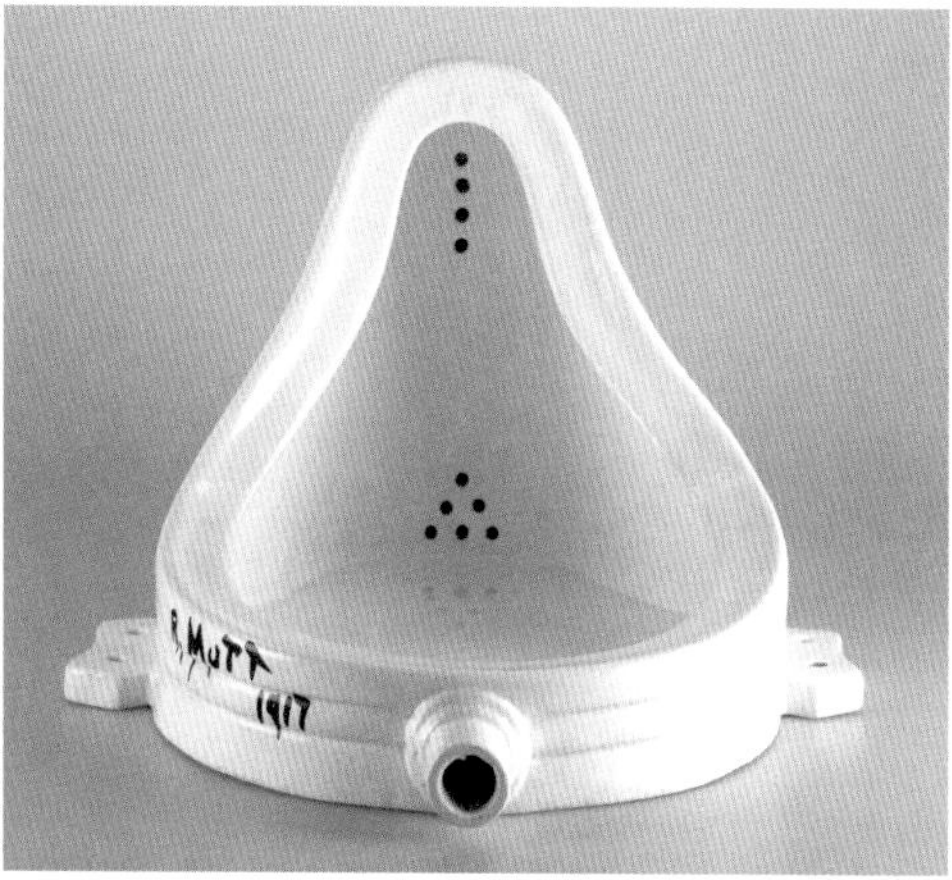
1917年（オリジナル）、イスラエル博物館、イスラエル・エルサレム

でも、一般の観客からはいつまでも「これのどこがアートなの？」と言われ続けています。誰よりも俺自身がそう思っているとです。

便器です。デュシャンはニューヨーク・ダダの中心的人物とされているとです。**ダダ（ダダイズム）**は、第一次世界大戦への反抗や虚無感に対して起こった芸術運動です。ダダの作家は、それまでの芸術を破壊、全否定しようとしました。いい大人たちが、まるで駄々《だだ》をこねているようです。今のダジャレは、水に流してほしいとです。便器です。デュシャンは俺を通じて、「芸術は芸術家自身の手で制作する」「芸術とは1点ものである」という常識を壊したとです。同じ便器に、同じサインをすれば、俺の複製をいくらでも作れます。こうした美術作品をデュシャンは**レディ・メイド（既製品）**と名付けたとです。便器です。数ある商品の中からあえて便器を選んだ理由を、デュシャンはこう語っています。「もっとも愛好される可能性が低いものを選んだのだ。よほどの物好きでないかぎり、便器を好む人はいないだろう」あまりにヒドい言われように、真っ白になったとです。便器です。デュシャンがもっとも否定したかったのは、「芸術とは美しく、視覚で愛《め》でるもの」だったとです。目（＝網膜《もうまく》）ではなく、観念や思考で楽しむ。新しい芸術を発明したとです。便器です。

ちなみに、1917年に作られた第1号の俺は行方知れずになっているとです。ゴミと間違えて捨てられたそうです。便器です。便器です。便器です。

※近年の研究では、ドイツの前衛女性芸術家エルザ・フォン・フライターク＝ローリングホーフェンが《泉》を含む多くのデュシャン作品を制作したという説も。

Column

伝統的な西洋美術の価値観を大きく揺るがしたことから、〝現代美術の父〟と呼ばれるデュシャン。彼が生み出した「目」ではなく「脳」で観る美術作品は、今では**コンセプチュアル・アート**と呼ばれています。「美術とは、観て感じるもの」と思われがちですが、コンセプチュアル・アートに関してはそういうわけにはいきません。観て感じるだなんて、エスパーでもない限り100％不可能。作品を楽しむには、そのコンセプトを頭で理解する必要があるのです。「美術ってよくわからない……」。そんな苦手意識の父もまた、デュシャンといえましょう。

さて、父といえば、こんなエピソードも。24歳の時に1年だけ結婚していたデュシャン。その後、恋人を作るも独身貴族な人生を貫いていましたが、66歳の時にアンリ・マティスの息子ピエールの前妻だったアレクシーナ・サトラーという女性と結婚します。彼女はピエールとの間に3人の息子がいました。3人にとって、マティスはおじいちゃん、デュシャンは義理の父ということになります。スゴい血縁関係ですね。ちなみに、デュシャンは結婚して義理の息子ができたことに対して「レディ・メイドが3人付いてきた」とコメントしたそうです。

岡本太郎《太陽の塔》（1911-1996）

太陽の塔からのメッセージ

「ボクは《太陽の塔》のお腹の部分にある**太陽の顔**だよ。突然だけど、キミたちは《太陽の塔》の中に入ったことはあるかい？　内部はほぼ空洞になってってさ。その中央には高さ約41メートルの鉄骨製の**生命の樹**のオブジェがあるんだ。その樹の幹や枝には、魚や恐竜、哺乳類《ほにゅうるい》などの生物の模型がびっしり取り付けられててね。アメーバから人類に至るまでの生命の進化が表現されているんだ。それから、内壁は真っ赤な波板で覆われているよ。赤は炎や血の色だし、何より**岡本太郎**さんが一番好きな色だったからね。え？　この塔がどうして作られたか？　ボクは現在を象徴する顔だから、昔のことはよく覚えていないのさ。彼ならよく知ってると思うよ。そうだろ？　過去を象徴する**黒い太陽君**」

「やぁ。はじめまして。ボクは塔の背面にあるから、あまり写真に撮られることもなくて、日陰のような存在なんだ」

「黒い太陽君。キミの話なんてどうでもいいんだよ」

「あ、ごめんね。太陽の顔君。この塔が作られた理由だったね。1970年に開催された日本万国博覧会、通称大阪万博のために作られたんだよ。大阪万博のテーマは『人類の進歩と調和』でね。それを表現するテーマ館の展示プロデューサーに選ばれたのが、**岡本太郎**さんだったんだ。太郎さんには、**対極主義**っていう独自の考え方があってね。例えば、抽象と具象とか、生と死とか、対立したものが1つの作品の中でぶつかり合うことで、何か新しいエネルギーが生まれるぞっ

1969－70年、万博記念公園、大阪府

て考えていたんだ。だから、太郎さんはプロデューサーでありながら、『人類の進歩と調和』というテーマが気に入らなくてね。テーマ館の一帯は、建築家の丹《たん》下《げ》健三《けんぞう》さんが設計した大屋根が覆《おお》う予定だったんだけど。あえて、その中央を突き破る大きさの塔を作ろうと考えたんだ」

「それは丹下さんもビックリしただろうね」

「うん。まったく調和する気ないもんね。太郎さんは、**『ベラボーなもの』**を作りたかったんだって。でも、その熱意があったからこそ、大阪万博が終わっても、この塔だけは残されることになったんだろうね」

「アハハ！　太郎さんは面白い人だじょ」

「おや？　**黄金の顔**君もボクらの話を聞いていたのかい？　せっかくだから、未来を象徴するキミも何か一言言いなよ」

「美術の長い歴史は、芸術家だけじゃなく、美術を楽しむ人たちによっても作られてきたじょ。だから、この本を読んだ皆に、美術の未来がかかってるじょ」

「キミ、意外とまともなこと言うんだね」

Column

自分の作品が個人の所有物となることを毛嫌いした岡本太郎。彼はその生涯で、誰でもいつでも見ることの出来るパブリックアート作品を数多く制作しました。日本全国津々浦々。その数は70カ所140点以上に及びます。そのうちの最大級《太陽の塔》と同時期に制作され、対《つい》をなすのが、原爆をテーマにした幅30mの大作壁画《明日の神話》。メキシコのホテルから依頼を受けて制作されたものの、ホテルが完成する前に会社が倒産したため、その後長い間行方不明に。メキシコシティ郊外の資材置き場で無惨《むざん》な状態で発見されたのは、2003年のことでした。多くの人々の力によって、《明日の神話》は見事復活を遂げました。そして、今、JRと京王井の頭線の渋谷駅を結ぶ連結通路に設置されています。

さて、復活といえば。今でこそ土偶《どぐう》や縄文土器など縄文の美が人気ですが、その火付け役が、実は岡本太郎なのです。東京国立博物館の一室で、たまたま縄文土器を目にした太郎は、その造形の美しさに魅了され、思わず「**なんだこれは！**」と叫んだそう。かくして、『縄文土器論』なる論文を発表。これを機に縄文文化が美術史でも取り上げられるようになりました。

おわりに……締めの挨拶のようなもの

名画が自己紹介する。これまでにないスタイルの美術本ゆえ、信憑性《しんぴょう》に不安を覚えた方もいらっしゃるかもしれません。しかし、そこはどうぞご安心を！　僕が日頃より大変お世話になっているお二方、西洋美術に関しては練馬区立美術館の小野寛子学芸員に、日本美術に関しては泉屋博古館《せんおくはくこかん》東京の野地耕一郎館長に全面的にサポートしていただきました。お二人にはこの場を借りて御礼を申し上げます。

また、急なオファーにも関わらずイラストを提供いただいたイラストレーターのyukimoneさんにも御礼申し上げます。そして何より、この本を手に取ってくださった読者の皆さまに厚くお礼申し上げます。最後までお付き合いいただきありがとうございました。

この本を書いているタイミングで、美術館の多くが休業を余儀《よぎ》なくされました。不要不急の対象とされたためです。確かに、「不急」なのかもしれませんが、個人的には「不要」とは思ったことはありません。なぜなら、美術作品を鑑賞することで想像力が養われるからです。

映画や小説よりも、ストーリーが伝わりにくい美術作品。一体何が描かれているんだろう？　描かれている人物は何を考えているんだろう？　そんな思いを巡らせることで、想像力（妄想力？）は鍛《きた》えられます。美術館とはそういう場所でもあるのです。

想像力さえあれば、誰かを傷つける悪口を言うことはないでしょう。ＳＮＳで炎上することも、不倫やパワハラ、セクハラなどもグッと減るはずです（この本で紹介した芸術家の中には炎上してしまったり、不倫をしてしまった人もいますが……）。

さて、この本では全部で49点の名画が紹介されています。なぜ50点でなく、49点？　中途半端な理由が気になるところです。1点書き忘れたから？　何かの理由で1点ボツになったから？　そこはあまり想像しないでください（笑）。50点目を考えるのは、読者の皆さま自身。そういうことにしておきましょう！

それでは、お名残《なご》り惜しいですがこのあたりで。最後はこの言葉で締めたいと思います。

いやぁ、名画って本当にいいもんですね。

とに〜（アートテラー）

画像提供：
［Bridgeman Images/AFLO］p.19, 27, 31, 35, 55, 83, 107, 111, 215
［Artothek/AFLO］p.23, 59, 63, 79. 115, 119, 127
［akg-images/AFLO］p. 39, 75, 91　　［アムステルダム国立美術館］p. 43, 47
［ALBUM/AFLO］p. 51, 139　　［Mondadori/AFLO］p. 67
［New Picture Library/AFLO］p. 71　　［シカゴ美術館］p. 87
［Iberfoto/AFLO］p. 95, 99
［オスロ国立美術館、写真：Høstland、Børre］p. 103
［Index Fototeca/AFLO］p. 123　　［富山県美術館］p. 131
［Camera Press/AFLO］p. 135　［スコークロステル城、写真:Jens Mohr］p. 138（右）
［スウェーデン国立美術館］p. 138（左）［栂尾山高山寺］p. 143
［ColBase（https://colbase.nich.go.jp/）］p. 147, 163, 183, 186, 187, 203
［宮内庁三の丸尚蔵館］p. 151, 159　　［京都国立博物館］p. 155
［PPS 通信社］p. 167, 179　　［東京文化財研究所］p. 171
［山種美術館］p. 175　　［早坂正志 /AFLO］p. 191
［熊谷直夫 /AFLO］p. 195　　［静嘉堂文庫美術館／ DNPartcom］p. 199
［栗原秀夫 /AFLO］p. 207　　［箱根ラリック美術館］p. 211
［AFLO］p. 219

著作権：

初出一覧：
p. 138−139；『arch』vol. 133（アートコレクションハウス株式会社、2017 年 8 月配布）
p. 186−188：『読売新聞』（2021 年 1 月 13 日、夕刊、「pop style」）

会いに行ける美術作品リスト

ゴッホさんのところでもお会いした、『向日葵15』のセンターを務めるひまわりです♪　この本に登場する名画の中には、私たち以外にも日本国内で観られるものがいくつもあるんですよ。リストにまとめてみたので、ぜひ、皆に会いに全国ツアーをしてみてくださいね。

大原美術館（岡山県・倉敷市）

所蔵作品　エル・グレコ《受胎告知》　26ページ

SOMPO美術館（東京都・新宿区）

所蔵作品 ゴッホ《ひまわり》 90ページ

富山県美術館（富山県・富山市）

所蔵作品 ウォーホル《マリリン》 130ページ

東京国立博物館（東京都・台東区）

所蔵作品 雪舟《秋冬山水図　冬》 146ページ
葛飾北斎《冨嶽三十六景・神奈川沖浪裏》 162ページ
黒田清輝《湖畔》 170ページ
岸田劉生《麗子微笑》 182ページ
長谷川等伯《松林図屏風》 186ページ
三条宗近《三日月宗近》 202ページ

宮内庁三の丸尚蔵館（東京都・千代田区）

所蔵作品 狩野永徳《唐獅子図屛風》 150ページ

伊藤若冲《動植綵絵》 158ページ

京都国立博物館（京都府・京都市東山区）

所蔵作品 俵屋宗達《風神雷神図屛風》 154ページ

東京藝術大学大学美術館（東京都・台東区）

所蔵作品 高橋由一《鮭》 166ページ

上村松園《序の舞》 178ページ

山種美術館（東京都・渋谷区）

所蔵作品 横山大観《心神》 174ページ

静嘉堂文庫美術館（東京都・世田谷区）

所蔵作品 《曜変天目》 198ページ

国立西洋美術館（東京都・台東区）

所蔵作品 ロダン《考える人》 206ページ

箱根ラリック美術館（神奈川県・足柄下郡箱根町）

所蔵作品 ラリック《シルフィード（風の精）あるいは羽のあるシレーヌ》 210ページ

万博記念公園（大阪府・吹田市）

所蔵作品 岡本太郎《太陽の塔》 218ページ

（作品が展示されているかは、各美術館にお問い合わせください）

イラスト：yukimone

【参考文献】

・『西洋絵画の楽しみ方完全ガイド』雪山行二監修、池田書店
・『巨匠に教わる絵画の見かた』視覚デザイン研究所編、視覚デザイン研究所
・『名画に教わる名画の見かた』視覚デザイン研究所編、視覚デザイン研究所
・『鑑賞のための西洋美術史入門』早坂優子、視覚デザイン研究所
・『101人の画家――生きてることが101倍楽しくなる』早坂優子、視覚デザイン研究所
・『一冊でわかる絵画の楽しみ方ガイド――印象派、写実主義から抽象絵画、シュルレアリスムまで』太田治子監修、成美堂出版
・『迷宮美術館 アートエンターテインメント 第1集～第5集』NHK『迷宮美術館』制作チーム、河出書房新社
・『C夫人肖像画――世界の巨匠29人に愛された女性』長谷川智恵子、講談社

本書は、本文庫のために書き下ろされたものです。

名画《めいが》たちのホンネ

著者　とに～
発行者　押鐘太陽
発行所　株式会社三笠書房
〒102-0072 東京都千代田区飯田橋3-3-1
電話　03-5226-5734（営業部）03-5226-5731（編集部）
https://www.mikasashobo.co.jp
印刷　誠宏印刷
製本　ナショナル製本

 ISBN978-4-8379-6971-6 C0130

王様文庫

王様文庫

眠れなくなるほど怖い世界史

堀江宏樹

人は、どこで道を踏み外すのか――。◇無敵の英雄ナポレオンに立ちふさがった「感染症」の恐怖　◇女王マリー・アントワネットが得られなかった「たった一つの愛」とは　◇数学者ピタゴラスが率いた「狂気のカルト集団」……世界史の知られざる「裏の顔」を読み解く本。

眠れないほどおもしろいやばい文豪

板野博行

文豪たちは、「やばい！」から「すごい！」　◇炸裂するナルシシズム！　「みずから神にしたい一人だった」　◇「女は『神』か『玩具』かのいずれかである」　◇「純愛一筋」から「火宅の人」に大豹変！　◇なぞの自信で短歌を連発！　天才的たかり魔……全部、「小説のネタ」だった⁉

眠れないほどおもしろい世界の三大宗教

並木伸一郎

キリスト教、イスラム教、仏教の「謎と不思議」に迫る本！　◇キリスト教とイスラム教の「神」は本当に同じ？　◇なぜイエスは磔にされたのか　◇「アッラーの言葉」を伝えた天使ジブリール　◇「ブッダの教え」の背景にある秘密とは……「ドラマティックな世界」がそこに！

K30556